KB217932

요즘 아이들 학급 집단 심리의 비밀

요즘 아이들 학급 집단 심리의 비밀

교사가 알아야 할 '51가지 학급 운영의 지혜'

김현수 구소희 조교금 최미파 하상범 지음

visang

저자 소개♥

김현수　명지병원 정신건강의학과 임상 교수, 성장학교 별 & 청년행복학교 별 교장으로 있고, 프레네 클럽, 관계의 심리학을 연구하는 교사단 등에서 연구 및 활동을 하고 있다. 소년 교도소, 보호관찰소 및 소년원 근무를 포함해서 지역 및 광역 정신건강복지센터 센터장을 여럿 맡았으며, 현재는 안산정신건강트라우마센터와 서울시 자살예방센터에 관여하고 있다. 청소년 보호대상, 교보 교육대상을 수상하기도 했다. 교육, 정신보건, 자살예방, 트라우마, 빈곤 및 지역사회 활동에 기여하면서 〈선생님, 오늘도 무사히〉, 〈코로나로 아이들이 잃은 것들〉, 〈요즘 아이들 마음고생의 비밀〉, 〈공부상처〉, 〈교사상처〉, 〈무기력의 비밀〉, 〈중2병의 비밀〉, 〈트라우마 공감학교〉, 〈교실심리〉 등의 저서가 있다.

구소희　관계의 심리학을 연구하는 교사단으로 배움을 학생들과 실천하고 교사들과 나누며 함께 성장하는 것을 큰 보람으로 여긴다. 경인교대 교육전문대학원에서 초등특수교육과 학교상담을 공부했다. 초등상담연구회와 여러 전학공을 오랜 기간 운영하였고 현재는 인천생활교육지원단, 학교폭력예방어울림지원단, 민주시민교육 아카데미 등에서 활동을 하고 있다. 함께 지은 책으로는 〈소환된 미래교육〉, 〈민주주의자들의 교실: 실천 편〉 등이 있다.

조교금   아름다운 사람은 그 뒷모습에서 그 삶을 살아 보인다. 그것을 깨닫게 해주는 아이들과 마주보고 바라보며 함께 실천하며 나눌 수 있는 교사이기에 늘 감사하다. 관계의 심리학을 연구하는 교사단, 인천생활교육지원단, 회복적생활교육연구회, 민주시민교육, 그림책연구회, 발도르프연구회 활동과 강의 지원을 하며 오늘도 아이들과 동료들과 삶이라는 정원을 함께 가꾸어간다. 함께 만든 책으로 〈민주주의자들의 교실: 철학 편〉, 〈초등 그림책 문해력 수업〉, 〈마음이 머무는 그림책 한 문장〉 등이 있다.

최미파   학창시절 학교에서 경험한 사랑을 전하는 교사가 되고 싶은 초보 영어교사다. 교직 첫해에 고등학교 2학년 담임교사를 맡아 각기 다른 아픔을 지닌 학생들의 마음과 학급 문화를 알아가며 파란만장한 시간을 보냈다. 아이들을 더 잘 이해하고 싶어서 관계의 심리학을 연구하는 교사단에 들어와 공부하며 성장하고 있다. 서울 보성여자고등학교에서 학생들과 행복한 시간을 보내며, '덕분에 아름다운 세상'을 만들어 가고 있다.

하상범   학생들과 함께 만들어가는 수업과 학급 운영에 보람을 느끼고 있다. 어려운 역사를 학생들이 친근하게 받아들이며, 의미를 발견할 수 있도록 하는 데 중점을 두고 수업을 하고 있다. 참신한 교육활동으로 학생들과 즐겁게 만나기 위해 토론, 수업비평, 교육연극 분야 연구회 활동에 참여하며, 학교 현장에서 실천하고 있다. 학교 안의 다양한 관계 문제를 이해하고자 관계의 심리학을 연구하는 교사단에 들어와 선생님들과 함께 배우며 성장하고 있다.

차례 ✿

교육은 세상을 사랑하게 하는 일이다

한나 아렌트

프롤로그 ✽

학급 운영을 개인의 관점이 아닌
새로운 관점으로 보고자 하는 선생님들과 나누고자 합니다.

- 개인에서 학급으로, 집단 심리로
- 개인에서 또래 관계의 관점으로
- 개인을 가르치는 교사에서 집단을 가르치는 교사로

교사는 집단 작업자다

교사는 집단 작업자, group worker입니다. 그렇지요? 그런데 제대로 훈련 받아보신 적이 있나요? 20명에서 30명에 이르는 아이들이 모여 있는 학급을 제대로 움직이는 방법을 말입니다. 이런 질문을 받고 자신에게 되물으면 상당히 당황스러울 수도 있을 것입니다.

또한 집단은 단순히 개인의 합이 아니라는 사실을 아시나요? 그 어떤 집단도 그런 경우는 없습니다.

한 명, 한 명의 착한 아이가 집단의 일원이 되면 잔혹하게 변하기도 하는 이유는 무엇일까요? 혼자 있을 때는 아무 말도 못하면서 무리 안에 있을 때는 욕설을 내뱉으면서 소리치는 그 심리를 어떻게 이해해야 할까요? 교실과 교무실에서 순식간에 달라지는 아이들의 태도는 집단과 무슨 관련이 있을까요? 학급에 들어가면 아이들이 집단적으로 "우~~~" 하는 소리와 함께 군중으로서 집단행동을 할 때 교사는 20~30명의 아이들을 어떻게 다루어야 할까요?

갈수록 어려워지는 학급 운영

학생들의 집단행동으로 학급 운영은 갈수록 어려워지고 있습니다. 학급을 집단의 관점에서 새롭게 바라보아야 문제를 해결할 수 있습니다. 새로운 관점에서 학급을 바라보고자 이 책을 쓰고 또 연수 과정을 만들었습니다. 일차적으로는 사회심리학 그리고 집단 심리학적 관점에서 이해하고자 하는 시도를 해보았습니다. 집단의 병리학적 이해와 정신 의학적 접근은 아마 다음 기회에 더 심도 깊게 해야 할 것으로 생각합니다.

이번 작업도 상당히 어려웠습니다. 학급을 개인의 관점에서 바라보는 책은 많이 있습니다. 하지만 학급을 집단 관점에서 바라보고, 이해하고 접근하려는 책은 많지 않습니다. 이번 책이 부족한 점이 많다는 것을 인정하고 향후 이 분야의 논의가 확산되기를 바라는 애석한 마음을 여러 독자분들에게 전하는 바입니다.

이 책은 관계의 심리학을 연구하는 교사단(이하 관심단) 선생님들 중에서 학급 집단 심리 세미나에 참여했던 네 분과 만든 집단 작업의 산물입니다.

이 작업에 대한 소개를 간략히 드리겠습니다.

학급 집단 심리 이해를 위한 프로젝트 2020
The Project for Classroom Group Psychology

2019년부터 여러 선생님들과 함께 학생들 개개인의 심리를 넘어선 학생들 사이의 관계, 교실에서의 집단행동, 그리고 그에 대한 집단 반응에 대한 이해를 도울 수 있는 연구를 해보자는 이야기를 했습니다. 그 분들과 함께 2019년 말 몇 개의 교재를 골라서 세미나를 시작했습니다. 하지만 집단 심리 혹은 사회심리학 교재가 충분하지 않아 애를 먹었는데, 그 때 첫 번째로 만난 책이 원미사에서 출간한 김경식 교수님의 〈학급의 사회심리학〉이었습니다. Richard & Patricia Schmuck 교수의 〈Group processes in the classroom〉 1992년판을 번역한 책이었는데, 이 책의 도움을 많이 받았습니다. 이 자리를 빌어 감사드립니다.

2009년에 출간된 John Shindler의 〈Transformative Classroom Management: Positive Strategies to Engage All Students and Promote a Psychology of Success〉의 도움도 일부 받았습니다.

더불어 여러 집단 역학(Group Dynamics)에 관한 교과서, 그리고 또래 관계에 관한 기존의 여러 책을 참고하고, 일본에서 발행된 학교 폭력 관련 책에서 학급 구조나 또래 관계에 관해 도움을 받았습니다.

그런 참고 서적에 기초해서 2019년에서 2020년까지 '학급에 관한 사회심리학' 세미나를 세 차례 함께 진행하고, 2021년 초에는 원격 연수까지 제작했습니다. (비바샘 원격교육연수원의 학급 사회심리학) 또한 2018년에서 2019년에 걸쳐 '관계 공격 (Relational Aggression)' 세미나와 연수(비바샘 원격교육연수원의 관계 공격 : 요즘 아이들 관계의 비밀)를 제작하면서 연구하고 토의했던 또래 관계에 관한 마이클 톰슨(Michael Thompson) 등의 저작도 이번 연수에 다시 활용했습니다.

그리고 학습에 줄곧 함께 했던 관계의 심리학을 연구하는 교사단 선생님들 중에서 뜻을 같이 하는 선생님들과 함께 연수를 제작했고, 그 연수(학급 사회심리학, https://t.vivasam.com)에서 강사 역할을 하신 선생님들과 이 책을 함께 집필했습니다.

51가지 지혜, 가장 많은 질문에 대한 답변

이 책에 소개된 51가지 지혜는 원격 연수를 진행하면서 선생님들께서 가장 많이 질문하시고, 가장 원칙적으로 중요하다고 여기시는 내용들을 정리해서 새로 만든 것입니다. 아주 상식적인 것이지만 원칙적인 내용이라 할 수 있습니다.

교실을 바라보는 관점은 여전히 개인의 관점이 지배하고 있습니다. 하지만 아이들 개개인이 합쳐져 집단이 될 때의 물리적,

화학적 변화는 우리가 이해할 수 없는 결과를 낳습니다. 긍정적인 측면에서도 그렇고, 부정적인 측면에서도 그렇습니다. 집단은 개인의 합이 아니라는 사실에 기초해서, 집단에서의 잔혹성에 대한 연구를 발표하는 사람들, 군중의 폭력성을 연구하는 사람들, 일본에서 학교 폭력을 연구하는 사람들이 교실 카스트를 말할 때, 모두 놀라워하는 것은 그 연약하고 착하고 순수한 개인으로서의 각 가정의 자녀들이 또래 집단이라는 장에서, 교실이라는 집단의 장에서, 학교라는 또래들이 대거 모인 군중의 장에서, 우리가 알지 못하거나 이해하지 못하는 방식으로 변합니다. 우리는 아이들이 그 환경에 들어오면 왜, 어떻게 변화하는지 알아야 합니다. 또한 집단이 모이면 어떻게 집단 지성을 발휘할 수 있는 조건이 형성되는지, 혼자할 수 없는 일을 함께 모여서 해낼 수 있는지, 백지장도 맞들면 낫다고 했는데, 그 과정에서 가능한 방법은 무엇인지 알아야 합니다.

집단의 강점이 무수히 많기 때문에 우리는 각자 살지 않고 모여서 생활하기 위해 집단을 조직합니다. 그 장점이 최대한 발휘되도록 하는 것이 응집, 촉진, 자신감, 정체감, 유능감, 소속감 등입니다. 이는 집단에 소속된 개인을 강화시키는 요인이기도 합니다.

끝으로 이 작업을 모두 지원해 주시고, 아낌없이 후원해 주신

비바샘 원격교육연수원, 비상교육 출판사 관련 직원분들께 감사드립니다. 최문영, 최슬기 선생님께도 감사드립니다. 그리고 함께 작업한 구소희, 조교금, 최미파, 하상범 선생님께도 다시 한번 깊이 감사드립니다.

부디 이 책이 신규 선생님을 포함한 여러 선생님들에게 학급을 새롭게 만나고, 어려운 학급을 다시 돌아보는데 도움이 되길 빕니다.

2022. 2.
공동 저자의 일원으로
김현수 올림

학급을 공동체로 변화시키는 ❋51가지 지혜

27. 다 같이 하면 더 잘하는 일과 혼자 하면 더 잘하는 일은 다르다

28. 누군가 지켜보고 있을 때 열심히 하는 일이 있고, 그렇지 않은 일이 있다

29. 학급 집단이 함께 하면 손해가 일어나는 상황이 어떤 경우인지 알아야 한다

30. 모두가 다 함께 열심히 하고 있다는 것을 알려주는 시각적 장치가 중요하다

31. 학급 민주주의는 학급 내 소수를 대하는 태도를 통해 알 수 있다

32. 충분한 토론이 가능하다면 입장에 변화가 일어날 수도 있다

33. 학급 집단 토론이 효과적으로 되기란 쉽지 않다

34. 집단은 잘못된 의사 결정을 내리기 쉽다

35. 집단이 한 의견에 너무 빠르게 동조하고 특정한 행동을 빨리 하자고 할 때, 집단 사고인지 점검해보아야 한다

36. 학생들의 다양한 의견을 듣고자 한다면 선생님 의견은 나중에 말해야 한다

37. 학생들이 서로 협력하면서 다른 사람이 잘 할 수 있도록 돕는 분위기에 충실할 때 집단 지성이 꽃피고 교사는 이런 분위기를 만드는데 헌신해야 한다

38. 학생들이 함께 지내는 것을 좋아하는 문화가 형성된 학급이 집단 지성을 발휘할 수 있다

39. 좋은 의사 결정은 좋은 의사 결정 프로세스에서 나온다

40. 집단이 나뉘어지면, "내 편이 무조건 옳다"로 사람들의 생각이 바뀐다

41. 집단 증오가 발생하면 상대방은 악마화되어 결국 싸움이 촉발된다

42. 모든 집단은 과격해질 가능성이 있다

43. 어린이와 청소년도 집단의 보장 속에서 잔혹성을 행사할 수 있다

44. 갈등을 협력으로 푸는 방식을 가르치고 권면해야 협력이 늘어난다

45. 자주 보고 대화를 나누는 것이 갈등을 줄이는 비결이다

46. 대충 해결하는 것은 해결하지 않은 것과 같다

47. 온도, 소음, 밀집, 냄새는 학급 분위기에 영향을 미친다

48. 무조건 사람이 많다고 일을 효율적으로 할 수 있는 것은 아니다

49. 아이들 사이의 물리적 거리는 심리적 거리에 비례한다. 그 역도 성립한다

50. 앉는 자리의 배치를 바꾸는 것만으로 사람들의 심리가 달라지기도 한다

51. 아이들은 보고 있는 사람이 있느냐, 없느냐에 따라 행동이 달라지기도 한다(검투사의 법칙)

우리는 삶의 모든 영역에서 타인에게 영향을 받는다

마이클 본드

1부
학급 집단의 이해와 발달

1. 선생님, 집단 좀 다룰 줄 아시나요?

【 1번째 지혜 】
교사는 집단 작업자다

김현수

인간은 사회적 존재다. 인간은 혼자 살 수 없고, 적어도 한 명 이상의 사람과 함께 생활하고, 배우고, 생존한다.

사회적 존재로서의 인간이 모여 집단을 구성하는 공간 중 아주 중요한 공간이 학교다. 학교라는 공간은 학생 집단이 모이는 곳이고, 학급은 집단의 한 단위이고, 교사는 바로 이 학급이라는 집단을 대하고 동시에 다루는 사람, 즉 집단 작업자다(group worker). 그러므로 교사들의 '집단'에 대한 깊은 이해는 필수적이다.

아이들은 개인이면서 동시에 집단의 한 명이기도 하다
유명한 정신과 의사이자 교육심리학에 여러 업적을 남긴 루돌프 드라이커스(Rudolf Dreikurs)는 교실 속 한 아이는 그 아이 한 명이기도 하지만, 집단 속 한 명이기도 하다라고 말했다.[1]

---

1) 아들러와 함께하는 행복한 교실 만들기, 드라이커스 등 지음, 학지사, 2013, 208p

- 인간의 행동은 혼자 있을 때와 함께 있을 때 행동이 다른 존재이기도 하다.
- 사람은 집단의 영향을 받을 수 있으며, 동시에 집단에 영향을 줄 수도 있다.

집단이 개인에게 미치는 영향 그리고 개인이 집단에게 미치는 영향에 대한 이론을 '장'이론이라 부른다. 이 이론은 커트 르윈(Kurt Lewin)에 의해 시작되어 사회심리학, 집단 치료 등 다양한 영역에 확대되어 적용되고 있다. 장이론은 집단 상호 작용주의를 말하고 있는데, 개인의 행동은 사람과 환경(집단 혹은 물리적 공간)과의 상호 작용에 의해서 결정된다는 것이다. 어떤 아이가 특정 학교에서는 모범생이지만, 다른 학교에서는 힘든 아이가 될 수도 있다는 것을 설명하는 이론이다. 우리는 아이들이 집에서, 학교에서, 친구 집단에서 각기 다른 모습이나 역할을 맡는 불일치에 의문을 가지고 있었다. 환경, 맥락, 그리고 상호 작용의 특성에 대해 주목하자 그동안 가지고 있었던 의문에 대한 해답을 찾을 수 있었다.

집단에 속한 아이들의 특성과 서로에 대한 상호 작용 그리고 아이들 사이의 협동과 조화(harmony)에 따라 어떤 아이들은 훨씬 나은 결과를 보일 수 있고, 또 그렇지 않을 수도 있다.

대부분의 상황에서 전체는 단순히 부분의 합으로 그치지 않는다. 르윈은 전체의 결과는 부분의 합으로 쉽게 알 수 없다고 했다. 학급에 모인 아이들, 한 팀에 모인 운동선수들의 개인의 면면으로 예측했던 것과 전혀 다른 결과를 우리는 자주 보아왔다. 스포츠 경기에서 기라성 같은 선수들이 모인 팀이 늘 이기지 못하는 것이 이를 증명한다. 학급 또한 모여 있는 아이들의 단순한 합으로만 생각할 수 없다. 집단은 언제나 기대 이상일 수도 있고, 기대 이하일 수도 있다. 이것이 집단 심리학 혹은 집단 역학(Group dynamics)이라는 방향으로 장이론이 더 진보하고 세분화게 된 동기들이다. [2]

장이론의 영향을 받은 사회심리학에서는 학급을 바라볼 때 첫째로 모인 아이들, 둘째로 해당 학기에 영향을 미치는 상황과 맥락, 셋째로 상황과 맥락 하에서 벌어지는 상호 작용의 관점에서 바라본다. 이 세 가지를 모두 충분히 고려해서 학생들의 행동을 파악할 것을 주장한다. [3]

---

2) 집단역학, Donelson Forsyth, 남기덕 등 공역, Cengage Learning, 2014, 7p
3) 사회심리학, 치알디니 등 지음, 웅진지식하우스, 2020, 14p

2. 학급의 집단성을 만드는 3가지 재료

【 2번째 지혜 】

교사는 "우리 반은 하나다!"라는
집단 실체성(Entitativity)을 만들 줄 알아야 한다

김현수

학급은 단지 아이들이 모인 것이 아니다!

영어에는 무리를 지어 다니는 상태를 표현하는 다양한 어휘가 있다. 물고기 떼는 school, 고래 떼는 gam, 먹이를 찾아 헤매는 원숭이 떼는 troupe, 삼인조 까마귀 떼는 murder라고 부른다. 무리를 부르는 용어는 이 외에도 매우 다양하게 존재한다.

흔히 사람이 모이는 현상은 집단(group)이라고 부르고, 이 집단에 대한 정의는 아주 다양하고 넓은 스펙트럼을 구성하고 있다. 그리고 정의하는 사람마다 특색이 다르다. 하지만 대략적으로 합의할 수 있는 집단에 대한 정의는 '두 사람 이상의 사람들이 1) 의사소통, 2) 상호의존, 3) 공유 목적이나 목표 등으로 모여 있을 때이다'라고 한다. 이것을 더 줄여서 이해하면, '두 사람 이상의 사람들이 무언가 의미 있는 관계로 연결되어 있을 때'라고 할 수 있겠다.

집단이란 사회적 관계에 의해서 그리고 그 관계 내에서 연결되어 있는 둘 이상의 개인이 모인 것이다. 여기에서 의미와 연결은 집단을 형

성하는 내적 개념으로 아주 중요하다. 즉 집단은 어떤 구성원들의 자격과 관계적 특성을 의미와 연결성으로 규정한다.

학급이라는 집단에 모인 아이들은 어떤 의미로 연결되어 있는가? 물론 이것은 시대 상황과 맥락, 학교 설립 목적, 그리고 그 목적에 따라 모인 아이들의 특성에 따라 달라질 수 있다. 대체로 학급이라는 집단은 '함께 모여, 배움과 우정을 쌓아가는 또래들의 집단'이라고 정의할 수 있다. 그리고 학급에 모인 아이들이 집단을 이루고 있기에, 그 아이들은 집단의 특성을 갖고 있다. 집단의 특성을 이해하고 조금 더 자세히 알기 위해서는 집단의 속성을 알아야 하며, 집단은 그런 속성을 내포하고 있어야 한다.

집단의 속성은 아래와 같은 것이다.

집단을 규정짓는 속성[4]

- **집단의 소속감** : 집단에 속하는 사람들은 그 집단에 대한 소속감을 갖게 된다.
- **집단의 정체성** : 집단은 어떤 정체성을 갖게 된다.
- **집단의 응집성** : 집단은 정체성을 중심으로 응집성을 갖게 된다.
- **집단의 구조성** : 집단은 집단의 특성에 따라 어떤 구조를 갖게 된다.
- **집단의 상호 작용 특성** : 집단은 다양한 방식으로 상호 작용을 하게 된다.
- **집단의 발달, 갈등, 해체** : 집단은 발달 과정을 거치며, 갈등을 겪고, 각 집단마다 시간 차이가 나지만 해체되기도 하고 지속되기도 한다.
- **집단의 수행, 경쟁, 성취** : 집단은 함께 어떤 목표를 수행하고 그 과정에서 내부, 외부와 경쟁할 수 있으며 목표를 성취하거나 실패할 수 있다.

---

4) 집단역학, Donelson Forsyth, 남기덕 등 공역, Cengage Learning, 2014, 25p

앞으로 이 책에서는 학급에서 나타나거나 겪게 되는 집단의 속성들을 하나하나 다루어나갈 예정이다. 그 특성들과 관련된 핵심 지혜를 알면 학급 운영 방향을 훨씬 쉽게 세울 수 있을 것이다.

우리 학급이 하나의 집단성을 갖게 되었다는 것은 무엇인가?

함께 모인 사람들이 하나의 집단성을 가지려면 필요한 것들이 있다. 광장에 모인 사람들과 학급에 모여 있는 아이들과는 확연한 차이가 있고 그 차이는 어떤 요인들에 의해 강화되거나 축소될 수 있다. 간혹 학급을 구성하고 있는 아이들이 광장에 모인 사람들과 별반 다르지 않다고 느꼈을 때가 있을 것이다. 그것은 아주 큰 비극이다. 그래서 우리가 어떤 집단을 모래알 같은 집단이라고 부르기도 한다. 한 장소에 머무르지만 상호 작용을 전혀 하지 않고, 연결과 의미가 없다면 장소의 공통성 외에는 다른 유대의 이유가 없다. 각자의 이유에 따라 부과된 일정한 시간 동안 머물다가 가는 것이다.

하지만 특정 집단의 경우 아주 넓은 공간에 모이게 하였음에도 불구하고 특정 집단이라는 것을 확연히 표현함으로써 다른 집단과 구분할 수 있는 경우가 있다. 이렇게 강력한 결속이나 응집이 형성되는 이유는 어떤 특성들이 축적되어 이루어지는 것인가?

캠프벨(Campbell)은 모여 있는 군중이 하나의 집단으로 바뀌어 나가려면 다음의 세 가지가 반드시 필요하다고 했다. 그래야 진정한 집단성, 집단이 탄생한다고 했다.[5]

---

5) 집단역학, Donelson Forsyth, 남기덕 등 공역, Cengage Learning, 2014, 9-10p

- **공동 운명** : 모인 사람들이 동일한 혹은 서로 연관된 목표, 성과를 추구하고 경험하고 있는가?
- **유사성** : 모인 사람들이 동일한 행동을 얼마나 하는가?
- **근접성** : 모인 사람들이 얼마나 가까운가?

그는 이 세 가지 속성 모두 충분히 갖춘 집단을 집단의 실체성을 가진 집단이라고 평가할 수 있다고 했다. 즉 실체가 있는 집단이고, 그 사람들은 다른 사람과 분명하게 구분할 수 있는 특성을 가지고 있는 상태라고 할 수 있다.

교사가 학급을 담당하거나 집단을 맡으면 일단 이 세 가지를 빠른 시간 안에 작동하게 해야 한다. 그래야만 학생 스스로 학급이 하나의 집단임을 인지하거나, 수용해 자신이 집단의 일원임을 깨닫는다. 이런 과정을 거쳐 학급은 집단 실체성을 형성한다. 이 작업을 초기에 실패하면 학급의 집단 실체성에 금이 간다. 학급이 분열되고, 학급의 실체를 하나로 모으기 힘들고, 그야말로 모래알 같은 반 분위기가 되고 만다.

3. 교사의 리더십과 학급 빛깔

【 3번째 지혜 】

교사는 학급의 리더이다

구소희

교사는 학교에서 다양한 역할을 수행하지만 가장 비중이 큰 부분은 교과 수업과 생활 교육이다. 최근 학생들의 정서가 학습과 학교생활에 미치는 영향에 대해 알려지면서 생활 교육의 중요성이 더욱 강조되고 있다. 생활 교육의 성패는 학급의 다양한 개성을 지닌 학생들의 색깔을 조화롭게 만들 수 있느냐에 달려 있다고 해도 과언이 아니다. 교사는 학급에서 다양한 개성을 가진 학생들과 만난다. 교사와 학생은 수업 시간은 물론이고 일상에서도 서로 영향을 주고받는다. 특히 학생들과 접하는 시간이 많은 담임교사의 영향력이 가장 크다고 할 수 있다.

담임교사는 자신이 담당하고 있는 학급을 효율적으로 이끄는 리더의 역할을 수행한다. 민주적 학급 분위기가 중요하고 학급 내에서 수평적인 리더십이 강조되고 있다.

담임교사가 학급이라는 집단의 리더로서 민주적 학급 분위기를 이끌기 위해서는 학급 발달을 위한 비전을 갖는 것이 매우 중요하다.

기억하고 싶은 선생님 VS 잊고 싶은 선생님

학창 시절 만났던 수많은 선생님을 떠올려보자. 그중에는 생각만 해도 미소가 지어지는 좋은 선생님도 있었고 반면에 기억에서 지워버리고 싶은 선생님도 있다.

인천민주시민교육 교사 연수 참여자 및 교사 연구회의 회원을 대상으로 설문 조사(2021.1.28.~2.1.)를 실시했다. 인정과 존경받는 교사를 '기억하고 싶은 선생님'으로 그 반대의 경우를 '잊고 싶은 선생님'이라는 주제로 중심 단어를 워드클라우드로 정리했다.

기억하고 싶은 선생님

잊고 싶은 선생님

기억하고 싶은 선생님의 특징으로 '학생을 따뜻하게 대해 주는 모습, 학생에게 관심을 기울이고 존중하는 모습, 친절하며 학생들의 이야기에 귀 기울여 들어주는 모습, 잘못할 때는 단호하게 이야기해 주는 모습, 열정을 가지고 노력하며 전문성 개발을 위해 노력하는 모습'을 꼽았다.

잊고 싶은 선생님의 특징으로는 '일관된 원칙이 없이 기분에 따라 학생들을 대하는 모습, 특정 학생들만 편애하고 차별하는 모습, 학생들의 말에 귀 기울이지 않고 억압하거나 무관심한 모습' 등으로 응답했다.

설문 조사 결과를 종합하면 학생의 감정을 이해하고 존중하며 친근하지만 잘못된 행동에는 단호한 선생님과 전문성을 위해 노력하는 선생님을 기억하고 싶은 선생님의 특징으로, 학생을 존중하지 않고 뚜렷한 주관이나 철학 없이 본인의 기분에 따라 행동하는 교사를 잊고 싶은 선생님으로 꼽았다.

교사의 리더십이 미치는 영향 - 아이오와 실험

교사의 리더십은 학생들의 행동에 어떤 영향을 미치게 될까? 르윈(Lewin)은 서로 다른 리더 유형이 학생들에게 어떤 영향을 미치는지 알아보기 위한 실험을 했다.[6] 우선 그는 소년들을 지도할 리더들을 독재적, 방임적, 민주적 유형으로 훈련시켜 활동에 투입했다.

독재적 리더는 학생들에게 해야 할 일을 일방적으로 정해주고 실천할 것을 지시했다. 학생들은 지시를 잘 따랐고 조용히 질서를 잘 지켰다. 그러나 아이들은 리더가 있을 때는 할 일을 잘했지만 없을 때는 미숙한 모습을 보였다.

방임적 리더는 아이들이 하고 싶은 대로 행동하도록 그냥 두었다. 이 그룹의 아이들은 처음에는 자유로운 분위기에 편안함을 느꼈지만 점차 질서가 사라지면서 불편해했으며, 급기야 불안감을 나타내기도 했다.

민주적 리더는 아이들이 스스로 계획하고 활동할 수 있도록 도왔다.

---

6) 아들러와 함께하는 행복한 교실만들기, 드라이커스 등 지음, 학지사, 2013, 127-128p

아이들이 스스로 판단하고 생각할 수 있도록 질문으로 문제 상황에 초대했다. 아이들은 배우고 성장해 나갔다. 민주적 리더가 있는 교실에서 아이들은 스스로 할 수 있는 능력을 키워가며, 리더가 없더라도 자기 일을 알아서 하며 서로 교류하고 도왔다.

리더십이 바뀌면 어떤 일이 벌어질까? 민주적 리더에서 독재적 리더로 바뀌게 될 경우는 큰 변화를 보이지 않았다. 그러나 독재적 리더에서 민주적 리더로 바뀐 경우는 초기에 큰 혼란을 보였다. 늘 억눌려 생활했던 아이들은 갑자기 주어진 자유를 즐겼지만 자기가 해야할 일을 하지 않았다. 집단이 안정되기까지 많은 시간이 필요했다. 그러나 점점 민주적인 모습으로 변화해 갔다.

교사의 리더십 유형에 따른 학생 행동

교사 유형	교사의 행동 특성	학생의 행동 특성
독재적 리더	· 명확한 안내 · 교사의 기준대로 판단 · 처벌과 칭찬	· 해야 할 일을 잘하나 타율적임 · 권위에 순응하거나 반항함
방임적 리더	· 수동적인 안내자 · 원칙이 없음 · 교실 내 존재감이 없음	· 제멋대로 행동하여 무질서 · 불안을 느낌
민주적 리더	· 문제 상황에 초대 · 학생들이 스스로 행동할 수 있도록 촉진	· 해야 할 일을 자기 주도적으로 함 · 자유와 책임

간혹 방임적 리더와 민주적 리더를 혼동하는 경우가 있다. 방임적 리더는 학생이 자유롭게 하도록 내버려 둔다. 학생들은 처음에 자유를 좋아했다. 그러나 점차 질서와 경계가 사라지고 무질서한 교실에서 점차 불안을 느끼게 되었다. 교사가 교실에 존재하지만 없는 것과 같

아 안정감을 느끼기 어렵다. 이러한 유형의 리더십에서 교실 붕괴나 학교 폭력이 많이 발생하게 된다.

반면 민주적 교사는 학생들을 개별적이며 완전한 인간으로 존중하고, 학생들이 스스로 참여할 수 있도록 돕는다. 지시나 훈계보다는 질문을 통해 문제 상황으로 초대하고 학생들이 자신의 방향성과 내적 동기로 참여할 수 있도록 돕는다. 학생들은 자신의 자유와 이에 따른 책임을 생각하며 자기 주도적으로 행동할 수 있게 된다.

독재자형 리더는 상과 벌로 훈육한다. 잘못하면 대가를 치러야 한다는 믿음으로 이러한 방식을 사용한다. 학생들은 선물이나 점수 등 외적인 보상이 있을 때, 혹은 처벌이 두려울 때 행동하게 된다.

처벌은 학생에게 부정적인 영향을 준다. 처벌을 받으면 일시적으로 부정적인 행동을 멈추게 된다. 그러나 학생들에게 긍정적인 행동을 배울 기회를 제공하지 못한다. 처벌받은 학생들은 '왜 나한테만 그래!'라며 반항하거나, '복수할 거야'라고 하며 보복을 다짐하기도 한다. 또는 '다음엔 걸리지 말아야지'라고 생각하고 더 은밀하게 숨어서 행동하게 된다.[7]

학생의 성장을 중심으로 접근하기

단기간의 결과만 놓고 보면 민주적 리더와 독재적 리더 그룹의 학생들이 협력하고 긍정적인 행동을 하는 모습이 비슷하게 보인다. 그렇기에 교사 기준대로 판단하고 지시하고 싶은 유혹에 빠질 수도 있다. 그러나 여기에는 근본적인 차이가 있다. 독재적 리더 집단에서의

---

7) 학급긍정훈육법, 제인 넬슨, 린 로트, 스티브 글렌, 김성환·강소현·정유진 역, 에듀니티, 2014.

협력이 처벌에 대한 두려움에서 비롯된 것이라면 민주적 리더의 집단에서 협력은 자유에 따르는 책임과 자기 조절 능력에서 비롯된 것이다.

우리가 생각해야 할 것은 지금 당장의 조용함이나 눈에 보이는 성과가 아니라 '학생의 성장'이라는 궁극적인 목표에 따른 방향성이다. 학생들이 올바르게 판단하고 실천하기 위해서는 배움과 연습, 그리고 시간이 필요하다. 배움의 과정에서 '실수는 배움의 기회'라는 것, 그리고 주위 친구들과 경쟁하지 않고 서로 협력하면서 배울 수 있는 분위기를 만드는 것이 매우 중요하다. 우리 교실의 성장 목표를 '학생의 성장'과 '민주적인 리더십'에 두어야 하는 이유가 여기에 있다. 학생과 수평적인 파트너십을 갖고, 학생이 스스로 참여해 문제를 해결해 볼 수 있는 기회 속에서 성장하도록 지향과 목표를 민주적 리더십을 갖춘 교사로 설정할 필요가 있다. 민주적 교사는 어떻게 말하고 행동하는지 탐구하고, 이를 수업과 생활 교육 상황에 적용하며 성찰해 나가야 할 것이다.

존 쉰들러가 제시하는 교사 리더십 유형[8]

【 4번째 지혜 】

학급 집단에 영향을 미치는 교사들에게는

유형과 특성이 있다

김현수

미국의 교육학자 존 쉰들러(John Shindler)는 교사의 리더십 유형을 '학생 중심인가, 교사 중심인가' 하는 두 가지 축과, '효과적인가, 기능적인가'를 중심으로 네 가지로 나누어 교사들이 자신의 리더십 유형을 돌아볼 수 있게 도움을 주었다. 학급 집단을 이끄는 교사의 네 가지 유형의 특성을 요약 정리하면 다음과 같다.

---

8) Transformative Classroom Management : Positive Strategies to Engage All Students and Promote a Psychology of Success, John Shindler, Jossey-Bass Inc Pub, 2009, 26-31p

촉진가형 교사

- 특징 : 학생 중심이면서, 효과를 거두고 있는 교사 리더십. 교사는 건축가이면서 집사 같은 역할, 일차적 목적은 학생들이 자기 방향을 갖고, 내적 동기화하는 것. 장기적 목표에 주목
- 교사의 목표 : 자기 주도적 학생으로 성장하도록 돕기
- 동기 : 내적 동기, 유능감
- 결과 : 명확한 경계, 공동 책임감
- 자주 하는 질문 : 왜 우리는 이것을 해야 하지요?
- 반을 지칭하는 특성 : 우리 반
- 학급 분위기 : 자기 주도적 학습, 자유스럽고 자율적인 교육 기후

지휘자형 교사

- 특징 : 교사 중심이지만 학급 운영에 효과 있음. 교사는 지휘자이면서 초점적 접근, 일차적 목적은 효율 증가와 기대의 명확성. 단기적 목표에 주목
- 교사의 목표 : 해야 할 일을 잘하는, 유능한 학생 만들기
- 동기 : 외적 동기, 보상에 따른 동기
- 결과 : 명확한 결과, 전체 학생의 효율성
- 자주하는 질문 : 무엇이 기대되는지 알지요?
- 반을 지칭하는 특성 : 내 반
- 학급 분위기 : 지시에 잘 따르는 학습, 조건적이고 의존적인 교육적 기후

독재자형 교사

- 특징 : 교사 중심, 비효과적인 학급 운영. 교사는 멋대로 판단하는 자, 교사의 영향에만 의존, 확인 받고 수용하거나 저항, 억압적 분위기. 목표는 학생들의 순응
- 교사의 목표 : 누구의 말을 들어야 하는지를 알려주는 것
- 동기 : 벌의 회피
- 결과 : 처벌, 부정적 에너지
- 반을 지칭하는 특성 : 그 학생들
- 학급 분위기 : 순응 혹은 반항, 억압하고 불만에 찬 기후

방관자형 교사

- 특징 : 학생 중심이지만 효과도, 효율도 없는 학급 운영. 교사는 수동적인 안내자로 명확성이 없고, 우연이 지배하며, 학생들은 자신을 스스로 보호해야 하는 부담을 가짐. 목표는 모호, 불분명
- 교사의 목표 : 학생의 행복
- 동기 : 학생의 자유 의지에 따라
- 결과 : 불명확한 경계, 자기 중심적 행동의 증가, 혼란한 에너지
- 반을 지칭하는 특성 : 학생분들
- 학급 분위기 : 자기 중심적, 수동적, 비참여, 제각각으로 지내면서 불안정한 기후

4. 학급 생활에 대한 기대는 모두 다르다

【 5번째 지혜 】

학급에서의 집단생활에 대한 기대와 요구는
부모, 교사, 학생들 사이에 차이가 난다

김현수

학부모, 학생, 교사들은 바란다

학부모의 기대

전 세계 모든 학부모의 학교에 보낸 자식에게 바라는 첫 번째 요구는
배움이다. 그리고 학교에서 다양한 활동을 하고 좋은 친구를 사귀고,
미래를 담보할 진로를 선택하기를 기대한다. '무엇을 배워야 하는가?'
에 대한 기대는 문화나 상황에 따라 다를 수 있다.

오래된 연구이지만 엡스타인(Epstein)은 미국의 학부모가 요구하는
학교에서의 학급 생활을 조사했다. 그 결과는 다음과 같다(Epstein,
1989).

- 학습이 향상되기를 원하며,
- 친구들과 잘 지내기를 원하며,
- 다양하고 좋은 기회를 만들어 주기를 원하며,

– 학교에 좋은 감정을 지니며 행복하게 다니기를 원한다.[9]

엡스타인의 연구에 따르면 학습, 친구, 다양한 기회와 즐거운 학교생활은 행복한 학교생활에서의 보편적이고 중요한 요소들이라고 할 수 있다.

학생의 기대

학생들의 학교에 대한 기대는 부모와 교사 등 어른의 기대와는 사뭇 다르다. 그리고 사회 환경 변화가 급속하게 일어나면서 더 큰 변화가 뒤따르고 있다.

학생들에게 가장 중요한 기대 요소는 친구인 경우가 많고, 수업보다는 다양한 활동이나 즐거운 행사인 경우가 많다. 학생들이 학교에 등교하는 동기는 다양하게 나타나고 있다. 친구, 급식, 활동 때문에 학교에 오고 싶거나, 수업, 선생님들의 지도 등을 학교에 오기 싫은 이유로 지목하는 것은 전형적인 청소년들의 답변이다.

'학생들이 교사들에게 바라는 것'과 '교사들이 학생들에게 바라는 것'을 통합적으로 연구한 결과에 따르면 학생들은 교사가 자신을 알아주기를 바라고, 교사는 학생들이 개인적 욕구를 이해하고 반응해 주기를 바란다. 학생들이 교사에 대해 기대하는 것의 순서를 보면 다음과 같다고 한다.[10]

---

9) Family structures and student motivation: A developmental perspective. In C. Ames and R. Ames (Eds.), Research on motivation in education, Epstein, J. L, Academic Press, 1989, 259-295p

10) 학급의 사회심리학, R. Schmuck, 김경식 역, 원미사, 2000, 40-42p

- 학생을 존중하는 교사
- 학생을 신뢰하는 교사
- 유머감각이 있는 교사
- 인간적인 교사이길 바란다.

교사의 기대

같은 어른이지만 선생님들의 기대는 부모의 기대와는 조금 다르다. 선생님의 최고 관심사는 수업인 경우가 많다. 그들은 가르치는 일을 자신의 직업으로 여기기 때문에 수업을 가장 강조한다. 다음 관심사는 생활 지도 문제다. 대부분의 선생님들은 좋은 수업을 하고 그에 따른 좋은 결과를 기대하고 아이들의 생활에 문제가 없기를 기대한다는 것이다. 모든 교사들은 학생들의 학업과 인간관계가 적절하게 균형을 이루며 발전하기를 바란다.

집단 과정의 관점에서 본 학급 생활의 중요 현실

다음은 집단 과정의 시각으로 학급을 바라보았을 때, 학급 생활에서 발견할 수 있는 중요한 현실이다. 여러 기대가 엇갈리고, 교차하고, 공통분모를 이루기도 하지만 학급은 다음의 현실이 담겨 있는 생활 현장이라고 할 수 있다.

1) 아이들의 삶에서 관계 역량이 핵심 역량이다

교실은 사람이 사는 곳이며, 이 곳에서 일어나는 집단생활이 개인의 행동에 많은 영향을 준다. 그러므로 교실에서 집단과 관계하는 개인의 역량이 학급 생활에서의 핵심 역량이다.

2) 집단 과정의 대부분은 교실에서의 관계들이다

교실에서는 여러 다양한 집단 과정이 일어난다. 동일시, 동조, 반대, 분열, 협력 등 이런 집단 과정의 결과가 개인의 행동에 다양한 영향을 준다.

3) 우정은 부모의 사랑 다음으로 중요한 가치이다

우정은 청소년기에 들어서면 가장 중요한 가치를 지닌 감정으로 부상한다. 교실에서 우정은 관계의 보호 장치다.

4) 자기 존중감의 상당한 부분은 교실에서의 관계에서 온다

학교생활의 대부분을 차지하는 교실에서의 관계에서 발생하는 인정, 평가, 연대가 자기 평가 혹은 타인에 의한 자기 평가에 주요하게 작용한다.

5) 학급 생활은 아이의 생활에서 가정 생활 다음으로 중요한 생활의 일부이다

어떤 학생들은 이 순서가 뒤바뀌기도 한다.

6) 학생의 욕구에 대한 교사의 반응, 친구들의 반응은 교실 생활의 기본 내용이다

학생이 교실에서 나타내는 욕구에 어떻게 반응하느냐가 상호 작용의 기본 내용이다. 즉 공부하고 싶은지, 놀고 싶은지에 따른 학생의 욕구가 교실에서 표현되면 이에 대해 교사, 학생이 반응하고 그 반응에 따라 교실 활동은 구성된다.

7) 교우 관계는 학업과 학교생활에 매우 큰 영향을 미친다

하나의 학습 환경으로서 학급과 교우 집단은 개인과 개인의 학업에 미치는 영향이 크다.

8) 교사와의 관계는 학업과 학교생활에 큰 영향을 미친다

교사와 관계가 좋을수록 학업도, 개인의 학급 생활에 대한 만족도도 높아질 수 있다. 교사에 대한 인정 욕구가 수용되는 것은 학생들에게 큰 만족이다. 요즘 학생들은 학급 내에 있을 때, 친구 집단에 대한 인정 욕구도 크고 교사에 대한 인정 욕구도 크다.

9) 학급에 대한 소속감은 아주 강력한 욕구이다

소속감을 강화하는 것은 심리적 안정에 아주 크게 작용한다. 소속감을 줄 수 있는 교사는 학급의 안정감에 기초해 다양한 활동을 시작할 수 있다.

10) 학급 생활의 긍정성은 자기 긍정감에도 충분히 기여한다

소속감을 지닌 아이들은 집단 속에서 자신의 영향력을 발휘하고 싶어 하고, 그 경험이 긍정적이면 집단에 대한 애정을 느끼게 된다. 이런 과정이 반복되면 학생들은 자기 긍정감이 충만해지기도 한다.

5. 학급은 발달한다

【 6번째 지혜 】

학급도 개인처럼 자라고 성장한다

【 7번째 지혜 】

학급 집단 발달에 따른 단계가 있다

구소희

개인은 발달한다

인간은 유아기, 아동기, 청소년기 등의 발달 과정을 거치며 성장한다. 개인은 현 단계의 발달 과정에서 필요한 과업을 성취하며 다음 단계로 나아간다. 에릭슨(Erikson)은 개인의 발달 과업을 아래와 같이 설명했다.

> 에릭슨의 사회 심리 발달 단계
> 1) 신뢰감 대 불신감(trust vs. mistrust, 출생~1세)
> 2) 자율성 대 수치감(autonomy vs. doubt & shame, 2~3세)
> 3) 주도성 대 죄책감(initiative vs. guilt, 4~5세)
> 4) 근면성 대 열등감(industry vs. inferiority, 6~11세)
> 5) 자아정체성 대 역할혼돈(identity vs. role confusion, 12~20세)
> 6) 친밀성 대 고립감(intimacy vs. isolation, 20~40세)
> 7) 생산성 대 침체감(generativity vs. stagnation, 25~65세)
> 8) 자아통합감 대 절망감(ego identity vs. despair, 65세 이후)

개인이 모여 집단을 이루는 학급은 어떠할까? 집단 역시 개인처럼 일련의 발달 과정을 겪으며 성장한다. 교사는 학급이라는 집단의 리더이므로 교사가 학급의 발달 단계에 대해 알고 미리 대비할 수 있다면 학생과 학급의 성장과 발달을 올바로 이끌 수 있을 것이다.

학급 발달 4단계

쉬먹(Schmuck)은 학급 집단 발달 단계를 4단계로 구분했다. 1단계는 관계 형성, 2단계는 관계 공유, 3단계는 집단의 목표, 4단계는 자기 혁신이다.

쉬먹의 학급 발달 4단계[11]

	발달 단계	발달 키워드
1단계	관계 형성	수용, 인정, 신뢰
2단계	관계 공유	소속감, 친밀감, 연대
3단계	집단 목표	공유, 협력, 성취
4단계	자기 혁신	성장, 성숙

1단계 : 관계 형성

첫 번째는 구성원들끼리 관계를 형성해 가는 단계이다. 학기 초에 구성원들은 친밀감을 느낄 수 있는 활동을 하며 좋은 관계를 형성하고 서로를 수용한다. 이 시기에 서로를 인정하며 신뢰를 쌓아갈 수 있다. 학생들과 관계를 형성해 나갈 때 경쟁보다는 협력을 중시하는 학급 문화를 만들어갈 필요가 있다.

---

11) 학급의 사회심리학, R. Schmuck, 김경식 역, 원미사, 2000.

관계 증진 활동은 1년간 꾸준히 지속해야 하나 학기 초에 특히 더 중요하다. 다음은 학기 초에 할 수 있는 관계 증진 활동 사례이다.

관계 증진 활동 사례

- **한 배에 태우기** : 학생들과 첫 만남에서 1년 동안의 학급 생활은 커다란 배를 함께 타고 떠나는 여행길이라고 소개한다. 서로를 존중하고 돕는다면 서로에게서 배울 수 있지만 그렇지 않다면 길을 잃을 수 있다고 알려준다. '우리가 바라는 학급의 모습'을 통해 학급의 목표를 함께 세울 수 있을 것이다.
- **학급 회의로 만나기** : 대화와 만남의 자리로 학급 회의를 만든다. 첫날 커다란 원 대형으로 모여 눈높이를 맞추고 편안하게 자기소개를 간단히 한다. 학급 회의는 1년 동안 꾸준히 학생들 간의 만남과 대화의 시간이 된다.
- **공동체 놀이** : 여럿이 하는 공동체 놀이는 분위기를 부드럽게 만들고 편안함을 느낄 수 있게 한다. 담임교사가 아닌 경우라도 학생들을 만날 때 첫 만남을 간단한 놀이로 시작하는 것을 추천한다.

학급 회의로 만나기

공동체 놀이

2단계 : 관계 공유

두 번째는 관계를 공유하는 단계이다. 이 단계에서는 친구들과 형성된 친밀감을 바탕으로 학급에 다양한 관계를 경험하며 소속감을 느끼고 더욱 협력하게 된다.

교사는 이 단계에서 학급 내 다양한 그룹이 만들어 지도록 도와야 한다. 다양한 그룹이 만들어지지 않고 소수의 그룹만 있을 경우 그룹 간 경쟁 관계가 생기게 되고 학생들 사이에 서열이 만들어지게 될 우려가 있다. 다양한 관계를 경험할 수 있도록 돕는 여러 가지 활동을 하면 보다 다양한 그룹 형성을 이끌 수 있다.

관계 공유 활동 사례

- **의미 있는 역할로 모둠 정하기** : 다양한 친구 관계를 경험할 수 있도록 주기적으로 모둠 배치를 다르게 해주는 것이 좋다. 월별로 주제를 정하고 학생들이 모둠을 선택하도록 하는 것도 도움이 된다. 예를 들어 '모둠 토론 활동에 사회를 보고 싶은 학생'은 이끔이, '수학 시간 도움을 주고 싶은 학생'은 나눔이, '체육 활동에 도움을 주고 싶은 학생'을 거둠이, '미술 활동에 도움을 주고 싶은 학생'은 깔끔이로. 월별로 다양한 선택지를 주어 선택하도록 한다. 학생들의 선택권을 존중하며 서로에게 기여할 수 있는 기회가 될 수 있다.

- **소통으로 다양한 관계를 경험할 수 있는 수업하기** : 과목이나 주제에 따라 다양한 소집단을 구성할 수도 있다. 예를 들어 국어 시간 '인물의 성격 탐색'이라는 주제로 수업할 때 원래 모둠에서 작품 속 인물을 하나씩 나누어 맡고, 같은 역할을 맡은 학생들끼리 모여 인물을 탐색하고 인터뷰까지 함께 진행하는 방법도 생각해 볼 수 있다.

| 의미 있는 역할로 모둠 정하기 | 상호 작용을 늘리는 수업 |

3단계 : 집단의 목표

세 번째는 집단의 목표를 성취해 가는 단계다. 함께 참여해 공동의 목표를 수립하고 완성해 가는 경험은 학생들에게 성취감을 심어줄 수 있다. 공동의 목표를 공유하고 서로 협력하면 개인과 집단 모두의 성장을 도모할 수 있다.

> **집단의 목표 관련 활동 사례**
>
> - **공동의 목표 성취** : 학급의 목표를 만들고 이루어 가기, 프로젝트 수업 주제를 함께 만들고 이루어 가기, 학급 행사 함께 준비하기 등 다양한 활동을 할 수 있다.
> - **지속적인 학급 회의** : 학급 회의를 통해 학기 초에 설정한 학급 목표 달성 수준을 논의하거나 공동생활에서 생기는 문제 상황을 논의하고 해결책을 이끌어 낸다.
> - **다름을 존중하고 협력하는 분위기 조성** : 색깔이 다양하면 세상이 더 다채롭고, 아름다운 것처럼 다름은 틀림이 아니라 풍성하고 좋은 것임을 인식하고 다름을 존중할 수 있도록 한다. 또한 협력을 통해 좋은 결과를 가져오는 활동을 할 수 있다.

학급 목표 만들기

지속적인 참여 활동

4단계 : 자기 혁신의 단계

네 번째는 자기 혁신의 단계로 학급이 공동체로서 성장하고 성숙하게 된다. 4단계에서는 3단계까지 이룬 성취를 바탕으로 집단과 개인의 성장이 함께 성장한다. 개인의 성장은 집단의 성장을 가져오고, 집단의 성장 역시 개인의 성장에 영향을 미치게 된다. 좋은 공동체는 개인만을 혹은 집단만을 존중하는 것이 아니라 개인과 공동체를 모두 존중한다.

학급 발달의 주요 키워드 : '참여, 상호 작용, 우정 발달'

학급 발달의 주요 키워드는 '참여, 상호 작용, 우정 발달'이라고 할 수 있다. 이것을 학급 발달의 중심에 두어야 한다.

학급 발달의 첫째 키워드는 '참여'다. 학생들은 학급에서 '누구나 참여 가능한지, 자신이 이 학급에 받아들여질 수 있는지' 등을 중요하게 여긴다. 누구나 참여할 수 있는 분위기를 조성하기 위해서는 구성원들끼리 수평적인 관계 맺기와 협력하는 분위기가 학급의 문화로 자리 잡고 있어야 한다.

둘째 키워드는 상호 작용이다. 상호 작용이 활발해지면 학급의 구성원끼리 친해지기 마련이다. 친하다는 것은 서로에게 배울 수 있으며 신뢰한다는 것이다. 갈등이 생겼을 때도 유연하게 대처할 수 있다.

셋째, 우정이 커질수록 학급은 발달한다. 학급 구성원들이 친밀하고 심리적으로 연결되어 있으면 편안함을 느끼고 학급 집단을 신뢰하게 된다. 이러한 친밀감과 신뢰는 학급이 성장하는 기반이 된다.

쉴츠(Schutz)의 학급 발달의 단계

단계	내 용
참여	참여할 수 있는 학급 분위기
상호 작용	활발한 상호 작용은 친밀감을 높이고 갈등을 조절해 줌
우정 발달	친밀감을 느끼면 더욱 신뢰하게 됨

정체성을 형성하는 공간, 학급

존 브래드쇼(John Bradshow)는 그의 책 '가족'[12])에서 '개인은 개인의 정체성뿐 아니라 가족의 정체성을 가지고 있는 존재'라고 하였다. 학급에 소속되어 있는 동안 학생은 개인의 정체성을 갖는 동시에 학급 구성원이라는 정체성도 갖는다. 따라서 학급은 집단과 개인을 모두 바라볼 필요가 있다.

학급이 공동체로 성장하기 위해서는 친밀감과 신뢰하는 분위기가 조성되어 있어야 한다. 이러한 분위기 속에서 학생들은 학급에 소속감을 느끼고 의미 있게 참여하며 성장한다. 구성원들끼리 서로의 다름을 존중하고 평가하지 않으며 공동의 목표를 수립하여 협력할 때 학급은 더욱 성장한다. 학급이 성장하면 개인의 성장에 긍정적인 영향을 주고, 개인이 성장하면 학급의 성장에 영향을 주는 선순환 구조를 갖게 된다.

---

12) 가족–진정한 나를 찾아 떠나는 심리여행, 존 브래드쇼 지음, 학지사, 2006.

학급을 성장시킬 수 있는 작은 Tip

- 작게 시작해서 꾸준히 한다.
- 작은 변화를 포착하고 격려한다.
- 최선책을 찾지 못할 때 차선책을 찾아 실행한다.
- 학급 구성원들이 참여하는 공동체적인 대응이 필요하다.
- 완벽주의는 내려놓고 '실수는 배움의 기회'라는 생각을 공유한다.

학급의 발달과 협력 단계

김현수

**성공적 집단 발달은 협력 학습의 발달에 달려 있다
(Johnsons & Johnsosns)[13]**

학급 집단 발달은 구성원의 협력 수준에 달려 있다. 학급 집단의 상호 작용은 상황에 따라 경쟁적, 개별적, 협력적 상황에 놓일 수 있다. 이 과정에서 협력적 상황이 발달을 주도하는 데, 학급 집단에 발달이 일어나지 않는 상황은 다음과 같다.

1) 학급에 소속된 개인의 성취가 친구들의 자원, 도움을 받지 못하면 학급 집단의 발달은 손상된다.

2) 학생 개개인의 심리적 발달이 학급 내 학생들의 심리적 연결과 무관할 때, 즉 학생들 사이의 고민이 학급 내 인간관계와 무관하게 해결될 때 집단의 발달은 손상된다.

---

13) 학급의 사회심리학, R. Schmuck, 김경식 역, 원미사, 2000, 77-78p

3) 책임 있고 좋은 양질의 집단적 의사 결정이 없거나 집단 내 갈등 해소 과정에 개인들이 참여하지 않을 때 혹은 갈등 해소 과정이 학급 내 개인의 참여 과정 없이 외부에 의해 일어날 때 학급에서 개인과 집단이 발달하기 어렵다.

* 학급 발달은 협력이 일어날 때만 가능하다.

학급에서 협력이 발달하는 4단계

1) 협력의 형성 Forming

2) 집단 과업의 성취 Functioning

3) 집단 과업의 공식화 숙달 Formulating

4) 새로운 관심 유발과 탐색 Fermenting

6. 초등 학급의 4계절

구소희 · 조교금

학교에서는 아이들과 매년 비슷한 시기에 비슷한 일을 한다. 단순히 시기에 따라 같은 일을 반복하는 것으로 보기보다 학급의 발달 과정이라고 생각할 수 있다. 인간이 발달 단계에 따라 성장하듯 학급도 발달 단계가 있고 이에 따라 성장한다. 이것을 미리 준비하면 더 넓은 안목으로 학급의 성장을 바라보고 도울 수 있다. 이번 장에서는 학급 발달을 학급의 4계절에 맞추어 시기별로 어떤 활동이 필요한지, 담임교사는 무엇을 준비하면 좋은지 알아보고 계획해보자.

학급 집단 발달의 단계에 따른 초등 학급의 4계절[14]

단계	발달 단계	시기 및 목표
1단계	관계 형성	3~4월 : 관계 형성 활동
2단계	관계 공유	5~8월 : 다양한 관계, 연대감 형성
3단계	집단 목표	9~11월 : 공동의 목표 성취
4단계	자기 혁신	12~2월 : 집단과 개인의 성장

---

14) 학급의 사회심리학, R. Schmuck, 김경식 역, 원미사, 2000.

쉬먹(R.Schmuck)은 학급의 발달을 4단계로 보았다. 여기서는 학급 발달의 4단계를 학급의 4계절로 설명해 보려고 한다.

학급의 봄(3~4월) : 새로운 만남과 좋은 관계 형성하기

1단계 | 관계 형성

	학급	학교
활동	• 첫 만남 • 관계 형성 활동 • 학급 운영 시스템 만들기	• 학부모 총회 • 학부모 상담
담임교사가 해야 할 일	• 첫 만남 　- 서로 소개하기 　- 학습 준비물 등 안내하기 　- 학급 준비 등 각종 안내 • 관계 형성 활동 　- 첫 만남, 첫 주와 첫 달 활동 계획 • 학급 운영 시스템 만들기 　- 의사소통 방법 익히기 　- 학급 회의, 학급의 약속 만들기 　- 모둠 구성하기 　- 의미있는 역할 정하기(1인 1역)	• 학부모 총회 　- 학급 및 담임교사 소개 　- 학부모의 의견 수렴 • 학부모 상담 　- 학생 파악 : 기초조사서, 면담, 문장완성 검사 등 　- 사전 조사 : 상담시간 안내, 사전 질문 받기 　- 상담 시 : 음료 준비 등으로 따뜻한 분위기 조성, 상담 자료 미리 준비

새 학기를 시작하는 3월은 '시작과 만남의 달'이다. 3월에는 '새 학기, 첫 만남, 설렘'이라는 키워드와 함께 학교 설명회, 학부모 총회, 그리고 학부모 상담 주간 등의 행사가 떠오른다.

학년 초에 좋은 관계를 형성하는 것은 매우 중요하다. 그렇기 때문에 학기 초인 봄에 가장 중요한 발달 과업은 바로 1단계 '관계 형성'하기다. 3월에는 새로운 만남으로 관계를 형성하고, 4월에는 3월에 형성한 관계를 다진다.

1학년의 첫 시작은 더 특별하다. 입학식은 큰 행사이자 축하하는 자리다. 첫 만남에서 아이들이 학교가 안전한 곳이라는 것과 환영받고 있다고 느끼도록 세심히 준비해야 한다.

이스라엘에서는 입학하는 아이들에게 꿀 바른 과자를 주는 달콤한 의식으로 시작한다고 한다. 배움이 꿀처럼 달콤한 과정임을 아이들에게 인식시키는 것이다. 아이들과 처음 만나는 날을 위해 꿀처럼 달콤한 미소와 환대의 마음으로 교실 책상에 아이들의 이름을 붙인다. 또 초등학교에서의 생활이 궁금한 학생과 부모님을 위해 학교생활을 안내하는 편지를 준비한다. 그리고 아이들에게 짧은 동화를 들려주고, 그 동화책을 선물한다.

고학년에게도 새 학기, 첫날 선생님의 환대는 기쁨이다. 아이들이 긴장감을 내려놓고 편안함을 느낄 수 있도록 교실 게시판에 환영 인사와 하트, 별 등의 모양 붙임쪽지에 아이들의 이름을 써서 붙여 놓는다. 학급 전체와의 만남뿐 아니라 학생들 한 명 한 명과도 만나며 관계를 형성한다.

학급은 단순히 학생이 모여 있는 무리의 합이라기보다 함께 성장하는 공동체다. 좋은 공동체는 개인과 집단을 모두 존중한다. 이것은 함께 할 1년 내내 중요한 가치이며 실천 과제다. 김춘수 시인의 꽃처럼 서로에게 꽃이 되려면 학기 초 아이들 이름을 익히고, 불러주며 서로를 진심으로 환대할 수 있는 분위기를 형성해 나가야 한다.

학부모와의 좋은 만남을 시작하는 학부모 총회

학생들과 좋은 관계를 형성할 무렵 학교에는 큰 행사가 있다. 바로

학교 교육 활동 설명회라고 불리는 학부모 총회와 학부모 상담 주간
이다. 학부모 총회는 학교의 세 주체 중 하나인 학부모회 구성과 학
교 교육 안내를 위해 만들어진 자리로 보통 학교 교육 설명회와 겸
해서 연다.

학교는 학부모회의 구성과 교육 활동 안내에 중점을 두고 준비한다.
학부모 총회를 단순히 학교의 행사로 인식하기보다 학부모와의 만남,
좋은 관계 맺기의 시작으로 바라보아야 한다. 학부모와 교사가 좋은
관계를 맺는 것은 학생의 성장에 도움이 된다. 첫 만남에서 신뢰를 형
성하는 것은 이후의 좋은 관계를 유지하는데 도움을 준다.

학부모 총회에서는 학교의 다양한 활동뿐 아니라 학급 생활에 대한
구체적인 안내도 필요하다. 특히 1학년 학부모는 모든 것이 낯설다. 1
학년 학부모와 만날 때는 학교생활에 대한 세심한 안내 자료를 준비
할 필요가 있다. 일 년 동안의 학교생활 리듬, 교육 과정의 중심 사항,
담임교사의 학급 운영 방향 등을 안내한다.

좌석을 둥근 형태로 배치하면 더욱 편안한 분위기를 형성할 수 있다.
함께 모인 인연의 소중함을 나누며 서로의 눈을 마주하고 이야기를
나눌 수 있다. 학부모 총회는 교사와 학부모와의 만남이기도 하지만
학부모와 학부모의 만남이기도 하다. 이러한 만남은 관계의 확장으
로 이어져 학생들에게 더 넓은 안전망이 될 수 있다. 같은 학급의 부
모들이 아이들에게 동네의 그냥 아는 어른에서 '친근한 이웃, 이모와
삼촌'이 될 수 있다면 아이들은 마을에서 더욱 안정감을 느끼고 성
장할 수 있다.

몇 해 전의 일이다. 학부모 총회가 끝나고 둘러앉아 이야기를 나누었
다. 한 어머니가 '자녀에게 장애가 있어 많은 어려움이 있지만 함께

일 년을 잘 지내길 바란다'고 용기 내어 말씀하셨다. 그러자 함께 계셨던 모든 어머니들이 따뜻하게 손을 잡아주셨다. 학부모 총회가 의례적인 행사로 그치지 않고 '좋은 만남'의 시간이 되면 서로의 마음을 나누는 시간이 될 수 있다.

학부모와 지속적으로 소통하는 방법

교사는 학기 초뿐만 아니라 1년 내내 학부모와 지속적으로 소통해야 한다. 어떤 방식이 있을까? 첫날 편지로 학급과 담임교사에 대해 소개하고 안내하는 것도 중요하지만 그보다 중요한 것은 지속적인 안내와 소통이다. 이를 위해 학급 밴드, 클래스팅, 인터넷 알림장 등 다양한 방법을 사용할 수 있다.

학급 밴드를 만들어 활용하면 아이들의 학교생활 이야기, 수업 내용과 방향 등을 사진과 함께 올릴 수 있고, 학부모와 쌍방향으로 소통할 수 있다. 소통이 늘어나면 학부모의 참여가 자연스럽게 늘어난다. 아이들의 학교생활 이야기가 꾸준히 쌓이면 1년 동안의 교육 활동 흐름이 보인다. 일주일에 한두 번씩이라도 꾸준히 자료를 올리면 학기 말에 아이들의 성장을 확인하는 자료로 활용할 수 있다. 중요한 자료를 따로 저장해 두면 학급 운영과 교수학습 자료로 활용할 수도 있다. 이는 교사의 성장에도 도움이 된다.

저학년 학생들의 경우 알림장과 클래스팅으로 자세하게 안내하는 것이 좋다. 간단한 알림장만으로 설명이 어려운 부분을 클래스팅에서 자세하게 안내할 수 있다. 개별 아동이나 학부모님과 소통하는 편지 역할을 하는 알림장은 감성이 담겨있는 아날로그식 소통 방법으로서 학부모와의 공감대 형성에 중요한 역할을 할 수도 있다.

아이들의 발달 단계나 특성에 따라 소통 방식을 다양화할 수도 있다. 어떤 매체를 사용하든 지속적으로 연결하려는 마음과 꾸준함이 중요하다.

직접적인 만남과 교류, 학부모 상담

총회가 끝나면 일대일로 직접 만나 소통하는 학부모 상담 기간이 있다. 저학년의 학기 초는 부모님이 교사에게 아이에 대해서 들려줄 이야기가 더 많다. 간혹 아이를 키우며 있었던 어려움을 이야기하며 눈물을 흘리는 분도 있다. 부모님과의 깊이 있는 대화를 통해 아이의

저학년에서의 상담 질문 목록

1. 아이는 주로 누구와 함께 지냈나요? (주 양육자)
2. 집에 있을 때 무엇을 하며 지내나요? (일과, 스마트폰 사용 시간 등)
3. 좋아하는 놀이나 활동은 무엇인가요? (아이의 선호 및 장점)
4. 친구들과 어울릴 때의 모습은 어떤가요? (교우 관계)
5. 어린이집이나 유치원에서 어려움을 겪은 적이 있나요? (필요한 도움)
6. 집에서 숙제나 공부할 때 누가 도와주시나요? (가족 관계)
7. 특히 걱정되시거나 신경 쓰이시는 부분은 무엇입니까? (정서 및 신체 건강, 학습, 교우 관계 등)

고학년에 추가할 수 있는 질문

1. 이전 학년까지 담임선생님이 주로 하신 말씀은 무엇입니까? (학교생활)
2. 지금까지 학교생활을 하면서 교우 관계는 어떠했습니까? (교우 관계)
3. 집에 자주 데려 오거나 자주 이야기하는 친구가 있다면 누구인가요? (교우 관계)
4. 학교생활(혹은 일상생활)에서 어려움을 겪었던 적이 있다면 언제였으며 무슨 일이 있었습니까? (어려움 파악)

성장과 발달을 더 깊이 이해할 수 있게 된다. 상담할 때는 학생을 개별적인 존재로 더 가까이 만나는 태도가 중요하다.

교사는 학부모와 상담하기 전에 학생 상담을 먼저 진행해 아이들의 이야기를 들어보아야 한다. 방과 후에 따로 시간 내기 어려운 아이들을 위해서 점심시간에 함께 밥을 먹고 산책하며 이야기하는 방법을 활용해도 좋다. 학생이 자신과 가족, 학교생활을 어떻게 느끼고 있는지 물어보고 기록해 놓아도 좋다.

학부모 상담에서는 학생의 성장에 대해 긍정적인 시선을 보여주고 다른 아이들과 비교하지 않으며 학부모와의 신뢰를 구축하는 것이 중요하다. 총회와 상담은 학부모님과 좋은 관계를 맺을 수 있는 기회라고 생각하고 미리 준비해 보자.

학급의 여름(5~8월) : 관계의 성장 및 다양한 학습 활동

2단계 | 관계 공유

	학급	학교
활동	• 관계 증진, 연대감 • 다양한 학습 활동	• 각종 행사 – 체육 대회, 학부모 공개 수업 등
담임교사가 해야 할 일	• 다양한 관계 맺기 및 연대감 형성 – 교과 및 내용별로 모둠 구성 다양화 – 함께하는 학급 행사 만들기 • 다양한 학습 활동 – 활동마다 역할을 부여하여 모두가 참여하는 협력수업 – 함께해서 즐겁고 서로에게 배울 수 있는 활동	• 체육 대회 – 전체 과정에서 서로 도우며 함께 목표를 완수했다는 성취감 갖도록 돕기 • 학부모 공개 수업 – 수업에 참여하는 모든 이를 환대하고 함께 참여하기 – 수업을 '만남, 소통, 배움'의 시간으로 활용하기

여름이 오면 학급은 어떤 변화를 보일까? 학생들은 5월~8월까지의 시기에 해당하는 학급의 여름에 다양한 관계를 형성하고 협력하며 학습 활동을 한다.

봄에 좋은 관계를 형성한 학급은 여름에 들어서면 구성원들끼리 더욱 친밀해지고 서로 도우며 신뢰를 쌓아간다. 그렇지 못한 경우 학급 내 서열과 갈등이 나타나기 시작한다. 이 시기에 좋은 관계를 만들고 다지며 공유하는 과정이 무엇보다 중요하다는 것을 느낄 수 있다. 관계를 증진하고 연대감을 높일 수 있는 방법에는 무엇이 있을까? 저학년 학생들은 입학 초기 적응 활동을 마치고 교과에서 다양한 학습 활동으로 배움의 즐거움을 알아간다. 다양한 놀이를 통해 관계를 증진하고 서로의 감정을 나눈다. 상호 작용하는 방식을 변화시키는 것만으로도 여러 친구와 만날 수 있다. 아이들은 이러한 경험으로 수용의 폭을 넓혀 간다.

예를 들어 교과 시간에 그 활동의 특성과 관련하여 짝 활동, 4인 활동, 두 개 혹은 세 개 그룹 활동 등으로 여러 관계를 접할 수 있다. 수학 짝 활동을 할 때는 먼저 학습을 마친 친구가 꼬마 선생님이 되어 도움이 필요한 친구와 배움의 즐거움을 나눈다.

교과 수업에서 사회심리학을 활용한 다양한 활동을 할 수 있다. 이것을 잘 활용하면 혼자 하는 것보다 함께 할 때 더 재미있다는 것을 알려줄 수 있다. 또한 친구들의 수행을 보고 배우게 되며 함께 성장한다는 것을 스스로 느낄 수 있다.

다양한 상호 작용과 관계를 경험할 수 있는 수업도 할 수 있다. 예를 들어 국어 시간에 친구들과 함께 읽고 싶은 책을 소개하는 수업을 할 때 교실을 돌아다니며 만나는 친구에게 책을 추천하는 활동을 할 수 있다.

미술 시간에는 개인이 그린 작은 그림을 모아 공동이 함께하는 큰 작품으로 재구성할 수 있다. 긴 종이에 함께 그림을 그려 벽에 전시할 수도 있다. 혼자 만들 때는 평범해 보이는데, 저마다 만든 작품을 모아서 하나의 큰 작품으로 만들어 놓으면 더 멋져 보인다. 아이들은 함께 만든 작품을 보고 성취감과 뿌듯함을 느낀다.

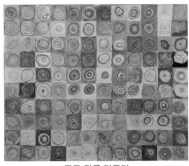
공동 작품 만들기

협동화 만들기

학생들이 성장하는 것을 함께 축하하는 자리를 만드는 것도 의미 있다. 아기가 태어나면 100일 잔치를 하는 것처럼 입학 후 성장을 축하하는 의미로 100일 잔치를 연다. 간단한 간식을 준비하고 포토존을 마련해 함께 사진을 찍기도 하고 함께 놀이를 하거나 책을 읽어주기도 한다.

학교 행사 - 체육 대회, 학부모 공개 수업
요즘은 학교 실정에 따라 운영하는 시기가 다르지만 대개 5월~6월에 체육대회나 공개 수업을 한다. 체육 대회가 학급 발달에 어떤 영향을 미칠까? 체육 대회를 준비하고 연습하고 참여하면서 학급에 대한 소속감이 높아진다. 이는 서로 협력하고 연대하는 힘이 되며 학급 발달에도 긍정적인 영향을 미친다.

이 시기에 있는 행사 중 학부모 공개 수업도 빼놓을 수 없다. 학부모는 공개 수업에서 '아이가 수업에 어떻게 참여하는지, 선생님, 친구들과는 어떻게 상호 작용을 하는지, 선생님은 아이들과 어떻게 상호 작용하는지 등'을 주로 살핀다.

수업은 만남이고, 대화를 통해 배움을 만들어가는 과정이다. 학부모 공개 수업은 학생, 교사, 학부모가 수업을 통해 만나는 시간이다. 공개 수업을 잘 활용하면 의미 있는 배움을 만들어 갈 수 있다. 학부모 공개 수업을 통해 서로 소통할 기회를 만들어 보는 것도 의미 있다. 몇 해 전 '휴대 전화 사용 문제로 인한 갈등'을 다루면서 부모와 자녀가 역할을 바꾸는 형식으로 상황극을 했다. 학부모가 수업을 참관만 하는 것이 아니라 직접 참여하고 아이들 입장에서 생각해 보도록 한 것이다. 재미와 의미 있는 수업이었다는 학부모들의 후기가 많았다.

학급의 가을(9~11월) : 공동의 목표 성취

3단계 | 집단 목표

	학급	학교
활동	• 공동의 목표 세우고 이루어 가기 • 관계증진활동	• 학예회, 전시회 • 문화 예술 주간 • 상담 주간, 현장 체험 학습
담임교사가 해야 할 일	• 다양한 학습 활동 설계 및 실행 　– 프로젝트 학습, 온작품 활동 　심화 등 • 현장 체험 학습 준비 • 학예회 및 전시회 준비 　– 학생의 자발적 참여 중시 　– 배움과 나눔 중심의 축제의 장	• 학예회 　– 전체 행사 계획 및 준비 　– 함께 즐기는 축제 분위기 조성 • 학부모 상담 • 현장 체험 학습 　– 체험 학습 계획(장소, 날짜, 프 　로그램) 및 사전 답사

모든 것이 풍성해지는 가을은 아이들의 관계도 무르익고 풍부해지는 시기이다. 학급이 잘 발달하고 있다면 친구들과 좋은 관계를 맺고 신뢰를 쌓으며 협력하고 연대하는 모습을 보일 것이다.

만일 우리 학급이 그렇지 못하다면 담임교사는 우리 반이 어떤 단계에 있는지, 어떤 발달 과제를 성취해야 하는지 파악해야 한다. 그리고 부족한 부분을 보완할 수 있는 활동을 펼쳐야 한다. 그렇다면 2학기의 시작은 어떻게 출발하는 것이 좋을까?

1학기에 형성한 학급 문화를 토대로 공동체의 일원으로 기여할 수 있는 활동들을 계획해야 한다. 저학년은 추석이 있는 시기이므로 전래 놀이를 활용한 관계 증진 활동으로 2학기를 시작한다. 비석치기, 신발 던지기, 씨름, 줄다리기, 강강술래 등 활용할 수 있는 놀이가 많다. 놀이를 통해 친밀한 관계를 다지고 공동체성을 함께 느낄 수 있다. 놀이는 방학 동안 잠시 서먹해졌던 친구들과의 관계 회복에도 도움이 될 뿐만 아니라 교과와 연계하면 학습 집중도를 높일 수 있다. 추석을 앞두고 명절과 가족 이야기로 관계를 넓혀 이야기하며 자연스럽게 교과 학습 상황으로 이어간다.

2학기는 학예 발표회나 문화 예술 주간 전시회 활동 등을 준비하며 학습 활동의 결과들을 차곡차곡 모아가는 시기이기도 하다. 아이들이 학기 말에 자신의 성장을 돌아볼 수 있도록 하는 것도 의미가 크다.

고학년은 어떤 모습으로 시작할까? 1학기가 관계를 다지고 학급의 공동 목표를 공유하며 학급 문화를 만들어 가는 시기라면 2학기는 프로젝트 수업을 통해 학생이 스스로 만들어 가는 다양한 학습 활동을 하며 성장하는 시기다. 학생들과 1, 2학기에 각기 다른 주제로 미디어 리터러시 수업을 한 적이 있다. 1학기에 동화를 읽고 성차별이나 고정 관념을 찾는 활동을 했다면, 2학기에서는 뉴스를 읽고 편견이나 혐오를 조장하는 요소가 없는지 찾아보고 발표하는 시간을 가졌다. 비슷한 맥락이지만 이전보다 더 깊이 있게 토론하고 토의하는 모습을 볼 수 있었다.

동화에서 편견 찾기(기본활동)　　　　뉴스에서 편견 찾기(심화활동)

주제와 내용이 깊어졌지만 수업에 적극적으로 참여하는 자신들의 모습을 발견하고 스스로 성장했다는 것을 느낄 수 있었을 것이다. 또한 활동 방법을 미리 알고 있었기에 더 심화된 주제라도 편안하게 참여할 수 있고 중간에 어려운 내용이 나왔을 때도 서로 도와가며 토의하고 발표할 수 있다.

학급의 성장을 볼 수 있는 학교 행사로 빼놓을 수 없는 것이 학예 발표회다. 학예 발표회는 아이들의 성장과 기쁨을 한껏 맛볼 수 있는 활동 중 하나다. 아이들은 스스로 준비한 것으로 무대에 서는 경험을 통해 학년 초에 함께 세운 목표를 성취했다는 것을 확인한다. 또한 친구들의 발표를 감상하며 친구에 대한 이해를 넓히고 관계를 배워간다.

이처럼 발표회나 전시회가 잘 꾸미고 능력을 뽐내는 것에 그치지 않고 함께 즐기는 축제가 될 수 있도록 만들어야 한다.

학급의 겨울(12~2월) : 집단과 개인의 성장

4단계 | 자기 혁신

	학급	학교
활동	•학급과 개인의 성장을 돕고 성찰하기	•학년 진급 •종업식 및 졸업식
담임교사가 해야 할 일	•학생들의 성장을 기록, 정리하기 - 생활기록부와 생활통지표 작성 •학급 행사 - 학급 마무리 잔치, 10대뉴스 - 롤링페이퍼, 선생님 사용설명서	•학급 반편성 및 진급 처리 •종업식 및 졸업식 - 모두의 성장을 축하하고 격려하는 분위기 형성

어느덧 겨울이다. 학급이 잘 성장했다면 4단계에 해당하는 시기다. 학급 발달은 늘 순조롭기만 한 것은 아니다. 20명이 훌쩍 넘는 학생들과 생활하다 보면 여러 갈등이 생긴다.

겨울은 봄부터 해왔던 교육 활동에 대한 성과를 기대하는 시기이기에 교사의 기대가 클 수 있다. 하지만 아이들의 행동이 항상 발전적으로 변하는 것은 아니다. 기대한 것만큼 성장하지 못하게 느껴져 실망하기도 한다. 학년 초에는 아이들의 어긋난 행동에 너그럽지만 학년 말에는 '이 정도는 당연히 해야 하지 않나?' 하는 마음이 들면서 더 엄격해지기도 한다. 하지만 교사는 아이들의 행동에 일관성 있게 반응하는 것이 좋다. 특히 학년을 마무리할 때까지 잘하는 것은 더욱 잘할 수 있도록 격려하고 어려워하는 부분은 극복할 수 있도록 도와주는 마음을 유지해야 한다.

저학년은 학년 마무리 활동으로 포트폴리오를 정리하고 나누며 마무리 잔치를 준비한다. 지금까지의 성장을 축하하며, 위 학년으로의 진급을 응원하는 의미를 부여한다.

고학년도 비슷하다. 아이들이 마지막까지 성장할 수 있도록 학년 마지막 주에 학급의 1년을 돌아보고 각자의 성장과 학급의 성장을 성찰하고 축하하는 시간을 갖는다. 긴 도화지에 친구들에게 그동안 고마웠던 것, 서로의 성장을 축하하는 글을 써서 꾸미고 각자 가져온 과자를 뷔페처럼 차려내고 서로에게 고마움을 나눈다.

학생이 얼마나 잘했나를 평가하는 것이 아니다. '예전에 비해서 얼마나 성장했는지, 우리 학급은 어떤 변화를 보이고 있는지' 성장을 중심으로 바라보고 격려하는 것은 다음의 성장을 위해서도 중요하다. 학생들과 '4장의 성장표'를 만들어 보는 것을 추천한다. 내가 만든 나의 성장표, 친구가 써준 나의 성장표, 내가 만든 학급 성장표, 선생님이 만든 나의 성장표. 누구와 누구를 비교하는 것이 아니라 내가 어떻게 성장하고 있는지 찾고 의미를 부여하는 것은 성장을 위해 새롭게 도전을 할 수 있는 힘이 된다.

일 년 동안의 학급 성장 과정을 살펴보았다. 봄·여름·가을·겨울 시기에 따라 매년 비슷한 행사를 반복하는 것처럼 보인다. 그러나 학급의 구성원들과 그 시기의 사회 상황이 다르기에 그 안에서 벌어지는 역동이 다를 수밖에 없다. 그렇기에 학급 사회심리학을 공부하고 학급의 발달을 알고 대비하는 것이 중요하다. 학급의 발달 단계에 맞추어 미리 준비하면 학생들과 행복한 학교생활을 할 수 있을 것이다.

7. 중등과 고등 학급의 4계절

최미파 · 하상범

학생이 변하는 것처럼 학급도 시간이 지날수록 달라진다. 학년 초에는 모든 교사들이 우려했던 학급이였지만 시간이 지날수록 좋아져 학년 말에는 모두가 인정하는 분위기 좋은 학급으로 발전하기도 한다. 반대로 학년 초에 칭찬받던 학급이지만 학년 말로 가면서 분위기가 흐트러져 안타까움을 사는 경우도 있다. 물론 처음부터 마지막까지 좋은 모습을 보이는 학급도 있다. 때로는 이도 저도 아닌 모습을 보이는 학급도 있다. 담임교사는 자신이 맡은 학급이 어떤 길을 걸을지 궁금하다.

다만 담임교사에게 주어진 시간이 넉넉지 않다. 특히 중등과 고등에서는 말이다. 조/종례 시간을 제외하면, 담임교사가 학급 학생들을 만날 수 있는 시간을 확보하기 어렵다. 숨을 돌려야 할 '쉬는 시간'에 학생들을 불러 상담하는 일이 잦아진다. 이렇다보니 교과 교사로서 교육 과정을 운영하면서 학급을 담당한다는 게 만만치 않다. 1년을 허둥대며 보내기 쉽다. 그래서 언제 무엇을 해야 할지 명확히 정리해

놓아야 한다. 즉, 중등과 고등 상황을 고려한 계획이 필요하다. 무엇보다 학급 성장 단계에 따른 시기별 과제가 무엇인지 알아두어야 한다.

학급의 봄(3~4월) :
새로운 관계 형성하며 나&너&우리 소속감 갖기

학기 초 가장 중요한 과제는 '관계 맺기'다. 서로에게 서로를 소개하고, 같은 반이 되었다는 것을 확인한다. 처음 만난 사람끼리 인사를 하지 않은 채 있으면 어색한 분위기가 사라지지 않는 것처럼, 3월에 관계 맺기 활동을 제대로 하지 않으면 학급 내 관계 형성이 늦어지거나 어그러진다.

학교의 3월은 매우 바쁘다. 특별히 무언가 준비하기에는 시간이 부족하다. 일상에서 쉽게 꾸준히 할 수 있는 활동을 찾아야 한다. 부담없이 학생들에게 한 발 다가갈 수 있는 학생 이름 불러주기는 어떨까? 아침 시간 교실에 들어오는 학생의 이름을 불러주며 인사한다. 쉬는 시간 복도에서 마주칠 때, 종례를 마치고 집에 갈 때마다 이름을 부르며 일상을 공유한다. '넌 우리 반 학생이고, 나의 꽃이야' 유명한 시 구절이 증명하듯이 이름을 불러주는 행위의 효과는 결코 작지 않다.

학생들끼리 관계를 맺을 수 있도록 계기를 마련해주어야 한다. 시간이 흐르면서 자연스럽게 관계를 형성하겠지만 물꼬를 일찍 터주려면 담임교사가 나서서 기회를 만들어주어야 한다. 조례 시간이나 교과 시간에 인터뷰 같은 자기소개 형식을 제시하고서 짝 또는 모둠끼리 얘기하도록 한다. 매달 서로에게 고마움을 전하는 'Thanks to' 활동을 하거나, 생일 파티에서 롤링페이퍼를 작성하도록 해 지속적으로 서로를 알아가고 소통할 기회를 마련하는 것이 좋다. 3월 이후에도 다른 친구들과 맺어질 수 있도록 돕는 셈이다. 또는 학급 1인 1역을 개인이 아니라 부서별로 조직해 관계를 맺게 할 수도 있다.

| Thanks to 활동지 | Thanks to 사례 |

때로는 학급 유형과 특성에 따라 이벤트 형태의 활동을 해야 할 때도 있다. 조용한 성향의 학생들이 많아 어색한 분위기가 사라지지 않을 때, 학급 구성원의 성향이 달라 서로 섞이지 않을 때는 일상적인 방법으로 효과를 거두지 못할 수 있다. 그래서 학급 단합 대회 같은 파급 효과가 큰 학급 행사를 열어 분위기를 전환시킨다. 체육 대회나 퀴즈 대회로 학급 학생들이 함께 얘기할 수밖에 없는 환경을 만든다. 같이 게임하고 음식을 나눠 먹으면, 자연스레 경계가 흐트러진다. 이 과정에서 서로의 새로운 모습을 발견하고 서로에게 호기심을 갖는다.

학급의 여름(5~8월) : 연대감 형성하며 서로 다독이고 힘내기

여름의 시작인 5월에는 학급과 학생들의 모습이 바뀌기 시작한다. 긴장이 풀려 늘어진 학생들, 학사 일정에 벌써부터 지친 학생들, 돌발 행동으로 어려움을 표현하는 학생들이 나타난다. 학급에서는 또래 집단 사이에 문제가 발생할 수 있고, 교사의 학급 운영에 불만을 품은 학생들끼리 여론을 형성할 수도 있다. 무엇보다 자연이 한껏 성장하는 여름답게 학생들의 신체적·정서적 변화 또한 놀라우리만치 크다. 이제부터 담임교사는 3, 4월에 형성된 관계를 세밀하게 다지고 넓혀가는 데 중점을 두어야 한다.

관계를 조정하고 다지는 데 가장 흔하게 활용하는 것이 상담이다. 사실 상담은 너무나 널리 알려진 학생 지도 방법이고, 모든 선생님들이 현장에서 실천하고 있는 방법이다. 다만 5월에 상담을 언급하는 것은 상담의 방향이 다르기 때문이다. 학기 초에 진행하는 상담은 학생의 기본적인 정보 파악에 중점을 둔다. 5월부터는 상담을 통해 학생들과 보다 내밀한 문제를 얘기할 수 있다. 이 시점에 진로와 진학, 성적, 친구 관계 등에 대한 고민이 본격적으로 드러날 수 있다.

상담을 학생 간의 관계를 진전시키는 방법으로 활용할 수도 있다. 학급 학생들을 그룹으로 묶어 집단 상담을 실시해보는 것이다. 학급 분위기, 친구 관계, 학생의 주요 관심사 등을 친구들과 함께 이야기하는 장을 만든다. 물론 일상생활에서 학생들끼리 학급에서 벌어지는 일에 대해 얘기할 수 있으나, 집단 상담 형식으로 만나는 것은 다른 의미가 있다. 학급 구성원으로 학급의 상황을 파악하고, 문제를 인식하여 함께 해결책을 모색해본다는 점에서 다르다. 이 과정에서 서로 이해하고, 공감하고, 위로해주며 서로를 새롭게 받아들일 수 있다.

상담으로 5, 6월을 보내고 나면 7월을 맞는다. 한 학기를 마무리해야 하는 시점이다. 한 학기를 끝내는 동시에 다음 학기를 기대하는 차원에서 마무리 활동이 필요하다. '우리 학급 10대 뉴스 정하기'로 학급에서 일어났던 일을 공유하며 정리할 수 있다. 또는 '학급 사진전'으로 추억을 나눌 수도 있다. 때로는 음식 만들기나 물총 놀이 등으로 활력을 불어넣을 수도 있다. 이대로 한 학기를 끝낸다는 아쉬움을 한 번에 날려버릴 수 있다. 1학기를 즐겁게 마무리 하는 것으로 2학기 준비를 시작한 셈이다. 즐거운 경험이 2학기를 기대하게 만든다.

학급의 가을(9~11월) : 협업하며 함께 목표 달성하기

여름 방학이 지나면 시간은 더욱 빨리 흐른다. 9월을 바쁘게 보내고 추석을 맞이하면 차가운 바람이 불기 시작한다. '1년이 지나가는구나'라는 느낌과 더불어 '난 무엇을 했을까?' 하는 생각이 학생들의 머릿속에 맴돈다. 친구들은 가야 할 방향을 제대로 잡고 있는 것 같은데, 본인만 헤매고 있다는 불안감에 휩싸일 수도 있다. 공부에 대한 고민이 심각해질 수도 있고, 진로 고민으로 불안해하기도 한다. 이는 가을을 왔다는 것을 보여주는 표징이며, 진지하게 고민해야 하는 시기가 되었다는 것을 의미한다.

여름 방학을 보내고 나면, 학생들의 모습은 크게 달라진다. 심지어 선뜻 누군지 알아보지 못하는 상황이 실제로 발생하기도 한다. 중학생은 신체적 변화에서, 고등학생은 정서적 변화에서 두드러진 모습을 보인다. 한편 학급 내에서 친구 관계가 달라지기도 한다. 1학기 때 관계를 그대로 이어가는 경우도 있으나, 잠재된 갈등이 해결되지 않았거나 관계 기술이 부족해 관계가 끊어지는 일도 발생한다. 그래서 2

학기 초에 방학 동안의 경험을 나누며, 서로의 변화를 확인하는 시간을 갖는 게 필요하다. 친구들과 나누고 공감하는 것으로 관계를 연결할 수도 있다.

이제 학생들이 진로, 진학에 대한 얘기를 나눌 수 있는 기회를 마련해야 한다. 학생들은 현재 자신의 고민과 상황을 어떻게 인식해야 할지 잘 모른다. 정보를 많이 제공하는 것보다 친구들과 생각을 나눌 수 있도록 하는 게 필요하다. 친구들과 진로와 진학에 대해 얘기를 나누면서 방향과 속도를 잡을 수 있게 된다. 사실 학생들은 진로와 진학에 대해 이야기할 기회가 많지 않다. 친한 친구와도 이런 얘기를 잘 나누지 않는 경향이 있다. 그래서 학급 시간에 자신의 진로를 소개하는 자료를 각자 만들고, 학급 게시판을 활용해 반 전체 학생들과 나눌 수 있도록 한다. 이렇게 하면 친구를 통해 현재 자신의 위치와 모습을 알 수 있다.

학급의 겨울(12~2월) : 집단과 개인의 성장을 통해 1년 돌아보기

어느덧 12월, 1년을 마무리해야 하는 시점에 다다랐다. 우리의 성장, 나의 성장을 확인하는 시간이다. 학급의 변화는 학생의 변화를 불러온다. 학생들의 행동이 달라졌을 수 있고, 관계가 달라졌을 수 있다. 친구, 학습, 진로와 진학에 대한 생각이 달라졌을 수도 있다. 친구가 많아졌을 수 있고, 특정 교과를 열심히 하게 됐을 수 있고, 하고 싶은 일이 생겼을 수도 있다. 또는 학생 표정이나 눈빛이 달라졌을 수 있다. 이런 변화를 혼자 생각하도록 놓아두는 것이 아니라, 친구들과 함께 나누는 활동으로 공공연하게 확인시켜주어 자신을 신뢰할 수 있도록 해야 한다. 이는 성장을 긍정하고 받아들이는 과정인 셈이다.

여기에는 '친구들과 나누는 활동'과 '스스로 정리하는 활동'이 모두 필요하다. 먼저 친구의 눈으로 자신의 변화를 확인하는 활동이다. 칭찬 릴레이와 칭찬 롤링페이퍼 활동으로 친구의 긍정적 변화를 발견하도록 한다. 릴레이 방식으로 서로를 칭찬하게 하고, 롤링페이퍼를 마련하여 학급 친구들의 장점을 써보도록 한다. 쉽지 않은 활동이지만 학생들이 한 해를 돌아보며 자신과 친구들을 서로 격려해주고 칭찬해주는 시간을 가져보자. 평소 공유, 양보, 긍정적 호감 등을 보여준 학급 학생을 언급해주며 긍정적 인상을 심어주고 친구를 살펴보도록 유도해야 한다.

학생 스스로 자신의 1년을 정리하는 활동을 한다. '나의 1년 살이'를 작성해보는 것이다. 주요 기억을 떠올리고, 자신의 생각과 느낌을 정리하고, 자신을 스스로 평가해보는 것이다. 친구들이 작성해준 칭찬 릴레이와 롤링페이퍼를 참조하도록 하면, 자기 시각에 한정되지 않게 할 수 있다. 1년에 대한 평가는 새로운 1년에 대한 계획과 다짐으로 자연스레 이어질 수 있다. 학급을 관계 맺기로 시작하여 자기 성장과 우리의 성장을 확인하는 활동으로 마무리한다.

1년을 어떻게 보냈는지에 따라 학생들의 반응이 극과 극으로 나뉘기도 한다. "별로야 재미없었어. 시끄럽고 통제도 제대로 되지 않았어." 반대로 "우리 반이 최고였어. 올해 나도 좋았어. 그리고 자신감 있게 달라진 아이들도 많아."

학급은 성장하고 발달한다. 학급이 성장하고 발달하면서 학생이 성장한다. 반대로 학생 개인이 성장하며 학급의 성장을 이루기도 한다. 그렇기 때문에 교사에겐 1년을 계획하고 준비해야할 이유가 충분하다. 매해 다른 모습의 학급이며 아이들에게는 매년 한 번 경험하는 그 학년의 한 해임을 잊지 않아야 한다. 담임교사로서 아이들과의 매 순간을 소중하고 감사하게, 최선을 다해 보내야겠다고 다짐하는 선생님들의 하루하루를 응원한다.

모방은 사회적 상호작용에서 호흡과 같다

마이클 본드, 〈타인의 영향력〉, 30쪽

2부
학급과 또래,
관계와 구조의 이해

1. 학급에서의 관계는 어떻게 움직이는가?

김현수

♥

【 8번째 지혜 】
우리는 혼자 있기보다 함께 있기를 선호한다

학교에 나와서 혼자 있기를 즐기는 사람은 드물다

집단은 두 명 이상의 사람으로 출발한다. 사람들이 집단으로 존재할 때 어떻게 관계를 맺고 움직이는가를 여러 방면으로 연구하고 관찰한 초기 사회심리학자들은 대부분의 사람들이 둘로 짝지어 다닌다는 것을 발견했다. 관청이나 공장 등 사람들의 출근, 점심식사, 퇴근 등에 기초해서 연구했던 조르겐슨(Jorgenson)과 듀크스(Dukes)는 1976년에 발표한 보고서에 사람들은 2인 단위로 소집단을 구성하려는 경향이 강하다는 연구 결과를 발표했다.[15] 이 연구 보고서에

---

15) Deindividuation as a function of density and group members. D. Jorgenson &
    F. Dukes, Journal of Personality and Social Psychology. 1976, 34, 24-29p

따르면 2인 단위가 모여 4인 식탁을 구성하는 소집단이 된다. 하지만 기본적인 집단 단위는 2인이었다.

그러므로 소모임, 교회, 학교, 노동조합 등 우리 주변의 모든 소집단은 2인부터 시작해서 집단을 구성한다고 분석할 수 있다. 모든 집단의 분석에서 단짝(Buddy)이나 절친한 친구(Best Friends)에 대한 분석은 큰 의미가 있고, 인생에서도 아주 소중한 의미가 있다.

우리는 모두 친한 친구와 함께 무언가를 도모한다. 그 친한 친구를 잃으면 집단에서의 힘도 작아진다. 학급의 학생이 20명이면 두 명씩 10쌍이 있고, 간혹 그 쌍들이 합쳐져서 점차 친구들의 군중 집단으로 커져 세력을 형성한다. 선생님들이 맡고 있는 학급을 둘, 혹은 셋, 넷의 관계로 묶어서 구분하고 어떻게 관계를 맺고 움직이는지, 누가 함께 오는지, 같이 가는지, 지지하는지, 즐겨 시간을 보내는지 세심히 살피면 아이들이 어떻게 관계를 맺고 있는지 금방 알 수 있을 것이다.

민감한 교사라면 반에서 한 명의 친구도 얻지 못한 아이, 외톨이가 된 아이를 주목해야만 한다는 사실도 금세 알아차릴 것이다. 그것은 집단의 원리에 벗어난 상황이지만 혼자 지내는 것이 혹은 홀로 다니는 것이 일시적인지, 오래된 일인지, 자의적인지, 본인의 거부인지, 혹은 집단의 거부인지에 따라 아주 다른 상태일 수도 있다. 그러므로 학급은 기본적으로 다음의 세 가지 그룹으로 이루어져 있다.[16]

---

16) Adolescence, (9 ed), Steinebrg Lawrence, McGraw-Hil, 2010.

- **집단원(Group Member)** : 집단에 속해 어울리는 다수의 아이들. 그들은 여러 소집단을 이루고 있지만 집단 안에 존재하며, 집단의 보호를 받고 교류한다.
- **연결자 혹은 비소속자(Liason)** : 집단에 끼지 않는 소수의 아이들. 이 아이들은 그룹에 속하지 않지만 소집단을 연결할 수 있고 일시적으로 집단에 속할 수도 있지만 학교 밖 다른 모임을 더 선호하기도 한다.
- **격리자** : 집단에 끼지 않는 소수의 아이들이지만, 자의든 타의든 즉, 강제적이거나 혹은 능력이나 기술 부족으로 집단에 참여하지 못하는 아이들이다.

【 9번째 지혜 】

학급은 소집단의 합이다

아이들은 무리를 지어 존재한다

학급의 집단원들은 개인들의 합이지만 동시에 소집단의 합이다. 학급에는 여러 형태의 소집단이 있다. 상황과 주제, 맥락에 따라 이합집산하지만 역동을 담당하는 주요 소집단이 있기도 하다. 그러므로 교사가 맡고 있는 학급은 몇 무리들의 합, 몇 도당이나 파벌, 하위 집단의 합이다.

- 소집단(Cliques) : 소집단간 구성원은 적으면 2명부터 많으면 대략 12명에 이르기도 한다. 그들은 함께 몰려다니고, 서로 아주 구체적인 상호 작용을 한다.
- 대집단(Crowd) : 비슷한 정체성을 가지고 있는 큰 집단 구성원을 말한다. 학년, 학교, 어떤 팀을 응원하는 집단 혹은 어떤 활동을 함께 하는 집단일 수 있다.

예전에는 소집단이나 파벌은 10대 여성이나 소녀 그룹의 패거리를 표현할 때 이용했으나 최근에는 학급의 소집단 구조를 설명하는 용어로 활용하기도 한다.

최근에는 소집단(clique) 혹은 청소년 소집단을 '동일한 환경에서 다른 사람들보다 더 규칙적이면서 격렬하게 상호 작용하는 2~12명의 집단(평균 5 또는 6명)'이라고 정의한다.[17]

학급은 스포츠, 게임, 팬클럽과 같은 활동의 소집단으로 나뉘어져 의사 표현을 하거나, 성적, 학교 협력, 흡연 및 비행 등의 특성에 따라 소집단으로 나뉘기도 하며, 때로는 사는 동네나 경제적 계층에 따라 나뉘기도 한다. 학급 내 소집단이 어떻게 구성되고, 서로 연결되며, 대립하고 교류하느냐가 학급 분위기에 상당한 영향을 미친다. 학급 내 또래 관계의 인기와도 깊은 관련이 있어서 학급 임원단 선출에도 영향을 미친다. 어떤 소집단 속에 있는가는 그 아이의 행동을 예측할 수 있게 하기도 한다.

【 10번째 지혜 】
자신이 속한 대집단은 정체성의 기원이다

대집단은 아이들 정체성의 기원이다
아이들은 작은 집단에도 속하지만, 그 작은 집단을 포함하는 큰 집단에도 속한다. 작은 집단은 본인이 선택할 여지가 조금이라도 주어

---

17) "Cliques". Encyclopedia of educational psychology, Salkind, Neil, Sage Publications, 2008.

지지만, 큰 집단은 본인 의지와 상관없을 경우가 많다. 즉 큰 집단은 학교, 지역, 국가, 민족 등과 같은 경우들이다. 그래서 아이들은 본인의 선택과 무관히 큰 집단의 일원임을 어느 날 깨닫기도 하고, 마치 어떤 상황에서는 큰 집단의 구성원으로 강요받고 있다는 기분을 느끼기도 한다.

이 과정에서 청소년들은 대집단의 구성원이 되는 것으로 인해 갈등을 겪기도 하지만 열광적으로 집단에 속하는 일을 택하기도 한다. 특히 청소년 시기에 접어들면 인종, 민족, 계층과 같은 대집단에 대한 개인적 차원에서의 심리적 반응도 크고, 집단에서의 역할 부여도 커진다.

자연스럽게 정체성을 수용하고 통합하는 청소년들이 있는가하면 이 과정에서 큰 혼란과 고통을 겪는 청소년들도 있다. 자신의 의지와 상관없이 어떤 대집단에 속해 있는 것에 의해 정체성에 혼란을 겪기도 한다. 이에 대한 반응은 아이의 성향에 따라 나뉠 수 있다. 자신이 어떤 대집단에 속했는가 하는 것은 집단 내부 상호 작용의 결과로 선택되기보다는 외부적으로 주어지는 경우가 훨씬 더 많다. 이 과정에서 대집단은 청소년의 정체성 개발, 개인의 가치, 행동, 개인 및 또래들의 기대치를 형성하는데 필수적인 기원으로 작동된다. 모든 아이들은 하나 이상의 대집단에 속해 있으며, 그것은 성장기 정체성 형성에 큰 역할을 한다.[18]

---

18) "Casting crowds in a relational perspective: Caricature, channel, and context."
In R. Montemayor, G. Adams, & T. Gullotta(eds.), Advances in Adolescent
Development: Vol. 5. Personal Relationships During Adolescence, Brown, B., Mory,
M., & Kinney, D, Sage, 1994.

2. 또래 집단을 통해 본 학급의 역동적 구조

김현수

【 11번째 지혜 】

학급의 아이들은 역할과 지위를 갖고, 서열도 갖게 된다

누가 학급의 중심인물인가?

연구자들은 또래들 간의 영향과 이에 따른 역할이 어떻게 주어지는
가를 관찰함으로써 또래들 사이에도 지위, 혹은 역할이 주어지고, 상
황에 따라서는 서열이 형성된다는 것을 밝혀냈다.

우리는 그간 이문열 작가의 〈우리들의 일그러진 영웅〉, 윌리엄 골딩
의 〈파리대왕〉 등의 작품에서 아이들 사이의 역동이 어떻게 형성되
고, 그것이 선생님, 이방인, 다른 어른들이나 다른 학생들의 등장과
퇴장에 따라 어떻게 변하는지를 간접적으로 경험했다.

학급 혹은 집단 내에서 아이들 사이의 관계 맥락이 어떻게 형성되는
가를 제안한 것은 사이코드라마 창시자로 유명한 모레노(Moreno)
였다. 그는 학급 사이의 관계망을 분석하기 위해 소시오메트리

(sociometry)라는 기법을 사용했다. 아이들의 관계를 선호와 사회적 거리에 의해 파악하고 그 결과는 사회적 관계망(sociogram)으로 그릴 수 있다. 또 그 결과에 따라 누가 중심인물이고, 누가 외톨이인지 알 수 있다(이 방법은 EBS 교육방송 다큐멘터리 프로그램으로 여러 번 방영된 적이 있다).

학급에는 다섯 역할의 지위가 있다
코이에 등의 연구자 그룹은 오랜 관찰을 통해 교실에서 나타나는 또래들의 지위는 흔히 다섯 가지가 있다고 했다.[19] 또래들의 선호에 따라 지위를 분석해서 범주화한 결과, 다음과 같은 다섯 가지 아동이 있다.

- 평균적인 아동
- 인기 있는 아동
- 거부되는 아동
- 무시되는 아동
- 논란이 되는 아동

이 중 거부되는 아동 범주에는 두 가지 하위 유형이 있는데, 거부되는 위축된 아동, 거부되는 공격적 아동이 있다고 했다.

---

19) https://www.doctorabel.us/child-psychology/peer-social-status-and-emotion-regulation.html

- **평균적인 그룹** : 이 그룹의 아이들은 가장 많이 좋아하는 것과 가장 적게 좋아하는 투표의 평균수를 가지고 있다. 대략 학급 구성원의 52%, 절반 정도다.
- **인기 있는 그룹** : 여기에 속한 아이들은 긍정적인 지명을 많이 받고, 부정적인 지명은 적게 받는다. 대략 학급 구성원의 12% 정도다.
- **거부된 그룹** : 이 그룹의 아이들은 최소 추천 수는 많고 다른 추천 수는 거의 없다. 대략 학급 구성원의 13% 정도다.
- **무시되는 그룹** : 무시되는 아동은 긍정적인 지명과 부정적인 지명 모두 거의 받지 않는다. 대략 반 구성원의 13% 정도다.
- **논란이 되는 그룹** : 논란의 여지가 있는 아동은 긍정적인 지명도 많이 받지만 부정적인 지명 역시 많이 받는다. 대략 학급 구성원의 7% 정도 차지한다.

무시되는 아동, 논란의 여지가 있는 아동 그룹과 거부되는 아동 그룹의 차이는 친구들 사이에서의 수용과 사회 기술의 차이에서 발생한다. 거부되는 아동은 수용이 없으며, 사회 기술이 부족하다는 특성을 지닌다. 반면, 무시되거나 논란이 되는 아동은 수용되는 측면이 있으면서 동시에 또래들과의 적응에서 사회 기술 상의 문제가 크지 않다.

이 분류 체계의 강점은 적극적으로 싫어하는 아이들과 수줍음이 많거나 사회적 교류를 적극적으로 하지 않아 잘 알려지지 않은 아이들을 구분한다는 점이다. 이 시스템은 극도의 사회적 수용 또는 거부 수준을 가진 아동을 식별하는 데 효과적이다.

✿ 실천 Tip

우리 반 아이들을 상상하며, 다음 다섯 그룹으로 구분해 아이들 이름을 적어봅시다.

- 인기 있는 아이들 :

- 거부되는 아이들
  거부되는–위축된 아이들 :

  거부되는–공격적 아이들 :

- 논란이 되는 아이들 :

- 무시되는 아이들 :

- 평균적인 아이들 :

【 12번째 지혜 】

인기 있는 아이는 학급에 기여와 봉사를 하게 하고,
평균적인 아이는 학급에 참여하게 하고,
거부되던 아이는 좋은 변화가 일어나게 한다

학급에서 역할을 맡은 아이들의 합종연횡에 따라
학급 분위기는 춤을 춘다

인기 있는 아이들의 경우

인기 있는 아이들이 교사의 편이 아닌, 거부되는 공격적인 아이들과 동맹을 맺고, 학급을 무력으로 통제하려 한다면 학급은 어떻게 될까? 아마 공포의 학급이 될 것이다.

인기 있는 아이들이 거부되어 위축된 아이들을 보호하려 하지 않고 오히려 괴롭히는 역할을 하면 학급은 어떤 분위기가 될까? 아마 거부되어 위축된 아이들을 학급의 희생양으로 만드는 분위기가 될 것이다. 또는 인기 있는 아이들이 학급에 일체의 관심이 없고 그저 개인적인 기분에 따라 행동하고 학급 일에 무책임하게 대응하면 어떻게 될까? 학급은 분열되고 단합에 어려움이 클 것이다.

그렇지만 인기 있는 아이들이 선생님과 충분히 협의하고, 평균적인 아이들과 함께 연대해 거부되는 아이들로부터 학급을 보호하고 학급 단합에 힘쓰면 학급은 안정감을 갖고 훨씬 중심이 잡힌 편안한 곳이 될 것이다. 그러므로 교사는 인기 있는 아이들이 학급에 기여하고 봉사하고, 학급에 협력하는 분위기로 이끌어가도록 방향을 잡아주어야 한다.

평균적인 아이들의 경우

평균적인 아이들이 학급의 일에 무관심하고 잘 단합되지 않으면, 거부되는 공격적인 아이들이 득세할 것이다. 학급에 그들의 힘에 대응할 세력이 없다는 것을 분명히 알게 될 것이기 때문이다. 평균적인 아이들이 학급 일을 할 때 의견이 맞지 않거나 이로 인해 단합이 되지 않으면 뿔뿔이 흩어지거나 소집단들 간의 갈등으로 학급이 아주 불편한 곳이 될 것이다.

평균적인 아이들이 힘을 갖고 인기 있는 아이들과 연대하면 거부되는 공격적인 아이들이 학급에서 무력을 행사하기는 어려워서 교실 밖으로 밀려날 것이다. 자연스럽게 거부되는 위축된 아이들은 보호될 것이다.

그러나 평균적인 아이들이 힘을 갖고 인기 있는 아이들과 연대해 교사의 반대편에 서면 교사는 아주 끔찍하고 힘든 1년을 보낼 수밖에 없다. 자주는 아니지만 그런 시간을 보내는 경우를 간혹 보았다.

거부되는 아이들의 경우

거부되는 위축된 아이들이 학급에서 전혀 보호를 받지 못하는 분위기가 될 경우 학급은 확실히 힘의 우위에 따라 운영될 가능성이 높아지고, 학교 폭력, 따돌림이 발생하고, 위에 언급했듯이 희생양, 동네북 현상이 나타난다. 그러므로 거부되는 위축된 아이를 빨리 파악해 그 아이를 보호하는 것이 아주 중요하다.

거부되는 공격적 아이들이 학급을 자신의 주공격 대상으로 삼고, 학급에서 군림하려고 할 경우 인기 있는 아이들, 평균적인 아이들의 반응 여하에 따라, 그리고 그 아이들의 연대와 역량에 따라 학급은 상당히 다른 길을 가게 된다. 특히 인기 있는 아이들과 평균적인 아이들의 연대가 매우 중요한 기준이 된다. 아무도 꿈쩍할 인간이 없다고 느껴지면 거부되는 공격적인 아이들은 학급이 자신들에게 잘 차려진 밥상이라고 생각할 수도 있다.

거부되는 위축된 아이가 교사, 그리고 학급의 다양한 아이들의 지원을 통해 변화가 일어나고, 특히 교사의 지지와 지원으로 좋은 변화가 일어나 일취월장하는 결과를 보이면 학급 분위기는 아주 좋아진다. 이 변화에 대한 기쁨은 학급의 기쁨이 되기도 한다. 그리고 학급에 대한 소속감과 자부심이 높아진다. 거부되는 공격적인 아이가 학급을 공격의 대상이 아니라 외부의 공격으로부터 보호해주는 역할을 하는 변화가 일어나서 학급 아이들과 친밀감이 생기고, 긍정적 관계가 일어나면 공격적인 아이들의 공격성이 낮아진다. 이것 또한 큰 변화가 되고, 학급이 안정화되고 편안한 곳이 되어 학급에 대한 소속감과 자부심이 높아진다.

거부되는 아이들에 대한 태도와 접근은 교사, 인기 있는 아이들, 평균적인 아이들, 이 삼자 연합의 힘이 중요하다. 그러므로 교사, 인기 있는 아이, 평균적인 아이, 이 삼자 간의 연대가 학급 안에서 가장 중요한 연대이다. 교사는 이 연대의 접착제 역할을 하는 지도력을 발휘해야 한다.

학급은 고정된 인간관계가 아니라 소집단의 연합과 반목 그리고 분열과 새로운 소집단의 구성이 반복적으로 일어나는 살아있는 인간관계의 현장이다. '친구', '또래'라는 친밀한 인간관계 안에서 간혹 발생하는 잔혹한 관계의 단절, 새로운 관계의 탄생, 그리고 이 관계 안에서의 합종연횡은 어른들이 이해할 수 있을 때도 있고, 없을 때

도 있다. 어른인 교사는 이 관계를 주시하면서 아이들 사이의 변화
에 대해 민감하게 듣고 개입의 여지나 여부에 대해 신중하게 접근해
야 한다.

3. 관계 공격과 학급 내 서열 구조의 이해

【 13번째 지혜 】

요즘 아이들은 관계 공격으로 자신의 지위를 확보한다

조교금

아이들의 공격이 변하고 있다. 과거에는 물리적인 힘으로 상대를 공격하고 그 결과에 따라 서열과 지위가 결정되었다. 최근에는 아이들의 서열과 지위가 물리적인 힘에 의해서만 정해지지 않는다. 요즘 아이들은 물리적인 힘으로 응징하기보다 누군가와의 관계에 금이 가도록 공격한다. 이렇게 '누군가의 관계 혹은 사회적 지위에 손상이 일어나도록 공격하는 것'을 '관계 공격(Relational Aggression)'이라고 한다. 학교에서도 또래들 간의 관계 공격으로 아이들의 서열과 위치가 달라지는 경우가 흔하다.

아이들은 자신이 속한 그룹 내에서 자신의 서열과 지위를 잘 알고 있다. 그리고 서열과 지위를 지키거나 빼앗기 위해, 또는 벗어나기 위해 여러 가지 노력을 한다. 〈소녀들의 심리학〉의 저자인 레이첼 시몬스(Rachel Simmons)는 "아이들은 친구 모임에 소속되고 싶어 한다. 그 모임에 소속되어야 비로소 안정감을 얻는다. 그리고 친구들로부터 인정받고 싶어 한다. 그런데 여러 가지 이유로 경쟁의 상황에 몰리면 결국 인기 경쟁을 한다"고 했다.[20] 아이들은 인기 경쟁을 하다가 상처가 쌓이면 관계 공격을 시도한다. 그로 인해 역할과 서열이 변한다. 마이클 톰슨(Michael Thompson)은 〈어른들은 잘 모르는 아이들의 숨겨진 삶〉[21]이라는 책에서 아이들의 우정과 배신, 그로 인한 상처를 언급했다. 그리고 친구의 배신으로 인한 상처로 관계적 공격이 발생한다고 했다. 모든 아이들은 연결, 인정, 힘을 얻고자 한다. 이 과정에서 심리적 상처가 쌓이면 관계 공격을 하는 것이다.

위의 두 명의 저자를 통해 우리가 알 수 있는 것은 아이들은 소속과 안전에 대한 욕구가 크고, 또래에 대한 수용 욕구 역시 크다는 점이다.

학급에서 관계 공격이 발생하면 발생하기 전과 전혀 다른 상황이 된다. 학생들과 교사는 회복을 위해 더 많은 에너지를 써야 한다. 그렇기에 관계 공격 역시 예방이 무척 중요하다. 관계 공격을 예방하기 위해서는 개별 학생을 관찰하는 것도 중요하지만 학급 내 학생들의 관계를 바라보는 관점 훈련이 필요하다. 학생들이 어떤 관계 구조 속에 있는지 살펴보는 것이 관계 공격 예방과 개입의 출발일 수 있다.

학급 내 서열 구조의 또 다른 예시

〈여왕벌인 소녀, 여왕벌이 되고 싶은 소녀〉 책과 워크숍 자료를 바탕으로, 학급 내 서열을 다음과 같이 구조화해 보았다.[22]

---

20) 소녀들의 심리학, 레이첼 시먼스, 양철북, 2018.
21) 어른들은 잘 모르는 아이들의 숨겨진 삶, 마이클 톰슨 등, 양철북, 2012.
22) 여왕벌인 소녀, 여왕벌이 되고 싶은 소녀, 로잘린드 와이즈만, 시그마 북스, 2015.
   Relational Aggression (Adapted from Mean Girls Workshop(2008), YoughLight.
   Kaye Randall presenter)-Rosalind Wiseman, 2002.

위계로 본 아이들의 지위와 서열의 구조

출처 : Relational Aggression (Adapted from Mean Girls Workshop(2008), Yough Light. Kaye Randall presenter)
Rosalind Wiseman(2015). 여왕벌인 소녀, 여왕벌이 되고 싶은 소녀. 시그마북스.

1) 왕좌의 지위, 킹 혹은 퀸
누구를 괴롭힐지 결정하는 결정자이자 타인을 조정하는 역할

2) 참모 (최측근)
권력의 최측근이자 명령 체계상 2인자이며, 그들의 권력은 킹과 퀸으로부터 기인함. 그들은 왕이 없다면 갖기 힘든 권력을 가지며, 이를 이용해 관계 공격을 행사함

3) 동경 그룹
왕좌 그룹과 측근을 동경하며, 때로는 팬이 되기도 하는 워너비 그룹

4) 가십 그룹
그룹에 속하지 않지만 소문, 정보를 실어 나르고 눈치를 살피는 애매한 중립적인 그룹

5) 가해자 (행동 그룹)

왕과 최측근 그룹의 요청이나 부탁에 따라 특정 피해자 혹은 희생양으로 지목된 아이들에게 폭력을 행사하는 행동파 그룹

6) 피해자 (희생양)

왕과 최측근 그룹에 다양한 이유로 찍힌 아이 혹은 아이들

7) 방관자

학급에 관여하지 않는 아이들

8) 자유로운 아이들

현재 학급의 위계에 흔들리지 않고 지내는 아이들

이런 역학 관계를 잘 보여주는 청소년 영화들이 있다. 우리나라에서 개봉한 영화 중에서는 〈퀸카로 살아남는 법〉이 이런 학급 내 구조를 잘 보여주고 있다. 이 영화는 관계 공격 양상을 잘 표현하고 있어서 관계 공격을 설명할 때 자주 인용되고 있다.

이러한 학급의 역학 관계는 영화 속에만 있는 것은 아니다. 위에 소개한 전형적인 서열 구조를 가진 학급을 담당한 적이 있었다는 교사도 있었다. 정도의 차이는 있지만 학급 내 서열 구조가 존재하는 학급을 담당했던 교사는 의외로 많았다.

학급 내 서열은 고정되어 있지 않다. 관계 공격이나 경쟁으로 인해 바뀌기도 하고 관계 사이의 역동이 다르게 나타나기도 한다. 아이들은 친구에게 더 많이 인정받기 위해 헛소문을 내거나 거짓말을

하는 경우도 드물지 않다. 배신감을 느낄만한 이야기를 하는 경우도 있다. 외모, 성적, 주변 친구들에 대한 험담, 부모에 대한 욕설까지 동원해서 관계를 반전시키려 한다. 이런 과정 속에서 마치 막장 드라마 같은 관계의 역동을 만들어낸다.

아이들이 만드는 학급 드라마가 펼쳐지는 것이다. 교사는 학급 내에서 서열 변화가 어떻게 이루어지는지, 서로 상처를 어떻게 주고받는지, 누가 더 공격적이고 부정적인지를 알기 어렵다.

평상시 학급 안에서 아이들의 관계를 파악하고 있지 않으면 교사의 중재는 효과를 거두기 어렵다. 그리고 그 정도가 심한 아이들은 교사를 이용하기도 한다. 이 과정에서 피해를 당하는 아이들을 돕는 것은 생각보다 쉽지 않다. 교사들은 아이들의 관계나 역동, 서열과 지위의 변화에 민감해야 한다.

교사들은 학급 내 관계 공격 예방을 위해 관련 지식을 쌓는 것과 더불어 평상시 학생들과 자주 대화를 나누어야 한다. 그래야 더 잘 대처할 수 있고, 학급 내 관계를 협력과 환대에 기초한 구조로 전환할 수 있는 역량을 키울 수 있다.

＊ 영화 〈우리들〉을 통해 본 또래 관계의 의미

아이들이 학급에서 가장 중요하게 여기는 '또래 관계'를 〈우리들〉이라는 영화를 통해 살펴보려고 한다. 영화 〈우리들〉은 2016년에 개봉한 영화다. 이 영화는 초등학교 운동장에서 아이들이 '안 내면 진다 가위바위보'로 팀을 나누는 장면으로 시작한다. 이 장면에서 '누가 나를 팀원으로 뽑아줄까' 하는 두근거림과 불안이 동시에 느껴진다. '소풍 갈 때 누구와 갈까', '쉬는 시간에는 누구와 어울려 놀까', '화장실에 갈 때 오늘은 누구와 갈까', '수학여행 갈 때 버스는 누구와 타지' 등과 같은 고민을 한번쯤은 해봤을 것이다. 영화를 보다 보면 어린 시절 느꼈던 그 불안과 떨림의 기억이 되살아난다.

대부분의 아이들은 교실에서 자신의 목소리를 내는 것이 달리기 출발선에 선 것 같은 느낌을 받을 것이다. 심장이 터질 것 같은 두근거림, 모두가 나를 주목하는 무대 앞에 선 것 같은 떨림. 우리는 그것을 극복하고 용기를 내는 것이다.

〈우리들〉에서도 팀원으로 선택되기를 기다리는 주인공의 불안한 눈빛을 볼 수 있다. 환영 받지 못하는 주인공 이선은 결국 마지막에 가서야 팀원으로 선택 받고 경기에 나선다. 주인공은 환대 받지 못하는 상황이 만든 외롭고 작아짐을 경험한다. 우리 주위의 아이들 중에서 누군가는 집안이 가난하다고, 부모님이 이혼했다고 놀림 받고, 또래들로부터 소외당한다. 이렇게 우리 아이들은 여러 가지 이유로 또래에게 수용되기도 하고 배제되기도 한다.

＊ 동화 〈보이지 않는 아이〉를 통해 본 또래 관계의 의미

트루디 루드위그의 〈보이지 않는 아이〉라는 동화책을 통해서도 또래 관계의 중요성을 엿볼 수 있다. 〈보이지 않는 아이〉는 존재감 없는 브라이언이라는 친구를 투명 인간이라고 표현하면서 이야기를 시작한다. 브라이언은 운동장에서 경기할 때도 거부되고, 생일 파티에도 초대받지 못한다. 그렇게 친구들과 함께 이야기할 기회조차 갖지 못한다. 선생님은 보이지 않는 아이를 챙길 여력이 없다. 큰소리를 내는 나단과 소피를 상대하느라 바쁘다.

영화 〈우리들〉에서나 동화책 〈보이지 않는 아이〉에서도 또래 관계를 잘 형성하지 못한 아이의 모습이 잘 표현되어 있다. 혹시 교실에서는 보이지 않는 아이인 브라이언과 우리들의 이선이와 비슷한 친구들이 있을까? 그렇다면 현실 속 이 아이들은 어떤 모습일까? 현실 속 우리 아이들에게 또래는 어떤 의미인지 좀 더 깊이 알아보도록 하겠다.

✿ 실천 Tip

학급 내 위계와 서열이 있다면 역동적 관계의 아이들은 어느 위치에 있는지 떠올려 봅시다. 해당 그룹에 아이들의 이름을 떠올려 보고, 그 아이들에게 어떤 지원을 해왔는지도 생각하여 작성해봅시다. 새로운 관계맺기를 시도하기 위한 다양한 방법들도 책을 읽는 동안 찾아가보시기 바랍니다.

• 최고 지위의 아이들 :

• 참모의 아이들(측근의 아이들) :

• 최고 지위와 참모 지위의 아이들을 지지하고 따르는 그룹의 아이들 :

• 행동파 아이들 - 가해자 그룹 :

• 피해자 아이들 - 희생양 그룹 :

• 방관자 아이들 :

• 자유인 아이들 :

4. 또래 관계의 인기, 수용과 거부

- - - - - - - - - - - -

김현수 · 조교금

【 14번째 지혜 】
유유상종이 또래 관계의 기본 법칙이다
(모든 아이들은 자신과 비슷한 아이들과
어울려 놀기를 좋아한다)

학급에서 아이들이 어울리는 가장 흔한 법칙 – 유유상종 :
동일성 그리고 동일시의 법칙

학급에서 아이들은 어떻게 어울릴까? 어울림의 가장 기본 법칙은 유
사한 아이, 비슷한 아이, 나랑 같은 것이 많은 아이를 찾고 그 아이들
과 함께 하는 것이다. 동일성에 기초해서 아이들은 어울리고 동일시
를 추구해서 집단을 규합한다. 그 동일시를 추구하는 행동의 극단적
인 모습이 어떤 친구의 편을 드는 것이라고 할 수 있다.

아이들은 일단 단짝을 찾고, 단짝들이 모여 4명의 그룹이 되고, 그
리고 4명이 모여 6~8명의 소집단이 되는 것이 학급 내에서 흔히 볼

수 있는 동일시 과정이다. 이 자연스러운 과정에서 일어나는, 보이지 않는 검열과 수용, 거부의 과정이 있다. 그래서 진영이 나누어진다.

이 수용과 거부의 경계가 뚜렷하고 경직된 경우에는 교류가 없고, 긴장된 관계로 지내며, 갈등 상황 속에서 서로 경쟁한다. 이럴 경우 아이들은 아주 불편한 관계 속에서 생활할 수밖에 없다. 반면 진영은 나뉘었으나 경계가 아주 유연해서 상황과 맥락에 따라 합쳐지는 것에 어려움이 없고, 구성원의 교류가 자유롭다면 상대적으로 불편함은 줄어들 것이다. 이것을 결정짓는 것은 학급 분위기 안에 세워진 또래들 간의 수용과 거부 기준이다.

【 15번째 지혜 】
학급 분위기가 좋아지려면
모두가 수용 받는 분위기가 조성되도록 노력해야 한다
(즉 차별이나 거부가 적어야 한다)

또래들이 서로를 수용하는 분위기가 높을수록
학급 분위기는 좋아진다

학급 구성원들이 탄력적이고 융통성 있는 관계 속에서 상호 교류가 활발하기 위해서는 수용이 높고, 거부가 낮아야 한다. 차이가 있어도 수용하고 차별하려고 하지 말아야 하며, 연대 의식을 갖고 최대한 함께 하려고 해야 한다. 즉 '모두가 우리 반이다!'와 같은 수용적 연대 의식이 있어야 한다.

다양성, 차이, 격차가 있지만 그것을 차별하지 않고 또 거부하지 않고 하나의 동일성으로 수용하는 분위기가 형성될 때 학급 분위기는 안정되고 편안해진다.

반면 동일시를 거부하고, 차이를 받아들이지 않고 차별하면 아주 경직된 방식으로 거부하기 시작한다. 이럴 경우 학급은 분열되고 거부된 채로 남겨진 학급 구성원들은 높은 저항에 직면할 수밖에 없다. 특히 또래 집단 내에서 거부되었던 경험을 가진 아이들은 충격도 크고 다양한 부정적인 트라우마에 빠진다.

교사는 학급의 역동, 학급의 서열적 지위, 학급에서 일어나는 분열과 합종연횡을 최소화하는 노력을 기울여야 한다. 이를 위해, 학급의 동일성, 단일성, 연대를 강조해야 하는 일을 일 년 내내 지속해야 한다. 무엇보다 배제, 추방, 편 가르기를 사용하지 않고 모두를 수용하려는 의지를 보이는 것이 아주 중요하다. 그래서 교사의 수용적 분위기가 학생들에게 모델링이 되어야 한다.

"우리는 모두 한 반이야, ○○도 우리 반이고, ○○도 우리 반이고, 그러므로 ○○도 함께 해야 해." 이런 동일성의 공동 의식을 기본적으로 가지고 있다면 학급에서 얻을 수 있는 또래들 간의 연대감이 상당한 수준에 이르렀다고 할 수 있지 않겠는가?

교사를 중심으로 차이를 줄이고, 최대한 서로를 수용하고, 최대한의 동일성을 찾고, 동일시를 최대화하려 노력할 때 학급의 단합된 일체감은 더욱 강화된다.

【 16번째 지혜 】
또래 집단의 거부를 결정짓는 요소는 공격성과 부정적 태도이다

또래 집단의 수용과 거부를 결정짓는 결정적 부정적 요소가 있다

또래 집단에서 통용되는 수용과 거부에 대한 연구는 여러 학자들에 의해 진행되어 왔고 현재는 어느 정도 의견이 모아졌다고 할 수 있다.

또래 수용 요소	또래 거부 요소
좋은 성격 : 호감 + 긍정 + 친절 + 미소	공격성
긍정적 태도 : 동료 칭찬, 친절	거부적(부정적) 태도
호감 주는 말씨 : 비공격적	자기중심적 태도
이타적 행동 : 양보, 공유, 도움 주기	나이 어린 태도

또래들에게 수용도가 높은 요소는 친사회적 행동을 의미하는 것들이다. 즉, 친절하고 이타적이고 호감을 주는 행동들이다. 반면 또래들에게 거부감을 주는 결정적인 행동은 나이를 불문하고 모두 공격적 행동과 부정적 태도들을 꼽았다.

친절하고 호의에 입각한 긍정적 태도를 권하고 가르치는 것은 단지 호감을 주고자하는 것을 넘어서 그것이 친구 관계, 또래 집단 내에서 수용을 가져오는 중요한 요소이기 때문이다.

반면 공격성과 부정적 태도는 나이를 불문하고 또래 사이에서 친구 관계의 어려움, 집단 거부의 주요 원인이며, 가장 큰 사회적 부정 요소다. 교육, 훈련 그리고 치료, 재활에 집중해야만 공격성과 부정적 태도를 교정할 수 있다.

교사는 학생이 지닌 공격성이 어떤 기원을 갖는지, 어떤 성상을 갖는지 파악하고, 학부모, 상담 교사, 치료 팀과 함께 상의해 공격성을 낮추거나 조절할 수 있도록 도와야 한다. 학교에서의 대처법을 다른 교사들과 논의하는 것도 중요하다. 부정적 태도에 대해서도 의사소통, 사회 기술 등 다양한 기법을 통해 지원할 수 있다면 더 좋다.

'태도가 전부다'라는 도그마에 가까운 태도 결정설이 자기개발학파의 한 그룹을 차지할 정도로 중요하게 여겨진다. 정신과 의사인 칼 메닝거(Karl Menninger)가 "태도가 사실보다 중요하다"라고 발언한 이후 태도의 중요성은 여러 분야로 확장되었고, 지금까지 이에 관한 논의가 지속되고 있다. '태도와 해석' 이것은 실제와 현실보다 중요할 수 있다.

【 17번째 지혜 】
또래들 사이의 인기는 능력보다
성격에서 오는 경우가 더 많다

또래 학생들 사이의 인기와 친밀도,
인기와 능력은 반드시 비례하는 것은 아니다

또래 학생들의 수용은 인기와 관련 있지만 인기 있는 아이가 반드시 모두에게 수용되는 것은 아니다. 즉, 인기와 친밀도는 반드시 비례하지 않는다. 인기는 있지만 친밀도가 높지 않은 친구들도 있고, 인기도 있고 친밀도가 높은 친구도 있다. 그리고 거꾸로 인기는 없지만 친밀도는 있어서 아주 친하게 지내는 몇몇의 친구가 있는 아이들도 있다.

인기 있는 사람의 주관적 행복 지수가 높지 않을 수 있다. 실제로 인기가 높지 않지만 아주 친하게 지내는 동료가 있는 사람들의 인생 만족도가 높다는 연구가 더 많이 보고되고 있다.

또한 아이들 사이의 인기는 능력과 반드시 비례하지도 않는다. 축구를 잘하는 것, 노래를 잘하고 춤을 잘 추는 것에 또래들은 열광하지만 이것이 회장 선거의 득표와 직결되지 않는다. 두 가지 일은 다른 일이기 때문이다. 간혹 이것을 이해하지 못하는 아이와 그 가족들이 있다. 그렇지만 아이들은 상대를 평가할 때 능력 보다 성격을 우선시한다. 성격이 좋다는 것, 특히 돌보는 성향, 긍정적인 성향, 온순하고 자애로운 성향, 들어주는 역할을 하면서도 자신감이 넘치는 성향의 아이들을 좋아하고 그들이 리더가 되어주길 바란다. 회장을 뽑는 선거에서 능력이 뛰어나지만 자기중심적이면서 때로는 공격적으로 변신하는 아이들에게는 표를 던지지 않는다.

순서를 기다리는 과정에서 양보하는 따뜻한 마음의 아이, 몰아붙이거나 잔소리하기보다는 친절하게 대해주는 아이, 공감하고, 들어주고, 기다려주는 아이가 리더로서 자격이 있다고 생각한다.

그러므로 교사는 또래 수용의 요소들, 친사회적 요소들을 능력 있는 아이들에게 잘 제시해주어야 한다. 반 전체 아이들에게도 분명하게 제시해주어야 한다. 친사회적 요소는 친절, 공감, 이해, 그리고 양보, 협력, 공동의 선, 공동의 기쁨을 추구하는 태도를 말한다. 이밖에도 여러 덕목들이 있다. 긍정적 덕목들을 풍부히 제시하고 그것이 자연스럽게 교실 안에서 퍼져나간다면 교실은 행복한 공간이 될 것이다.

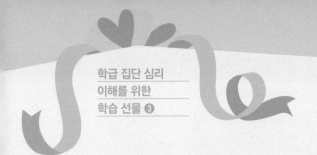

친구 관계의 인기와 수용의 발달[23]

김현수

1. 첫 일 년

6개월 이후부터 또래에 대한 흥미가 원초적으로 시작. 이 관심은 사회 자극이 많은 아이에게 더 유리. 풍부한 관계가 있는 아이에게 더 긍정적

2. 2~5세

* 친구 개념 : 4세에 확실히 형성, 또래 집단 구성원 개념도 형성
* 인기 있는 아이의 특징 : 선물, 과자나 먹을 것을 주는 아이. 이 단계에서의 또래 선호와 인기도는 선물, 관심을 주거나 인정해주는 것과 같은 긍정적, 보상적 행동에 있음
* 거부당하는 아이의 특징 : 공격적, 함께 잘 놀지 못하는 것, 동조하지 않는 것 등의 부정적 행동, 비언어적 행동을 잘 읽지 못하는 것

---

23) Friendship in childhood and Adolescence, Pearl Erwin, 2001.

3. 학령기

- 인기 있는 아이의 특징 : 잘 어울리고, 건설적 제안, 지지적 언급, 상호적, 명랑하고 긍정적

- 거부당하는 아이의 특징 : 자기중심적, 거만, 규칙이나 놀이를 바꾸려고 시도, 친구들과 의견 불일치, 특히 친구들에게 접근할 때 공격성 사용(이것이 친구들이 싫어하게 되는 결정적 요인으로 작용), 자주 갈등을 유발하는 것도 중요한 거부 요인임(그 아이가 끼면 꼭 갈등이 생긴다는 것도 또래들이 그 아이를 거부하게 되는 강력한 요인으로 작용하게 됨)

4. 청소년기 : 또래 관계의 인기와 수용이 복잡해진다

- 또래와의 관계 중요성 대폭 증가
- 부모와의 마찰, 갈등 증가로 인해 또래 지지의 중요성 더욱 증가
- 청소년기의 두 주제 : 외모와 동질성이 아주 중요함

1) 외모와 매력 : 신체적 변화, 청소년기 초기의 과도한 자의식, 이성에 대한 관심 증가 등은 다른 사람들이 자신을 어떻게 평가하는지가 주요 관심사가 되게 한다.

2) 유유상종(유사성) : 청소년들에게 자기 확인을 가능하게 해주고, 사회적으로 인정받을 가능성을 의미하며 관계가 형성되는 기초를 제공한다.

- 관계가 발달하면서 중요해지는 유사성의 종류에는 현격한 성차가 있다. 청소년기 중기부터 남자들은 활동과 상호 작용의 형태에서 유사성을 찾는 반면 여학생들은 심리적 특성에서 유사성을 강조하기 시작한다.
- 청소년들이 무리지어 시간을 보낼 때 가장 좋아하는 것은 빈둥거리기와 웃고 떠들기이고 이것이 가장 만족도가 높은 활동이다. 청소년들은 집단으로 보내는 시간도 중요하게 여기지만 혼자 보내는 시간도 늘어난다. 이 시기에 외로움을 경험하기도 한다.
- 청소년기의 가장 친한 친구는 영원한 동반자이며 누구와도 바꿀 수 없고 어떤 비밀도 털어놓을 수 있는 사람이다. 친밀성은 남성과 여성의 차이라기보다는 정도의 문제이며 정서적 지원과 도움주기, 인정과 진실성은 남녀 청소년에게 모두 중요한 문제이다.
- 남자 청소년에 비해 여자 청소년이 한 사람 혹은 소수의 몇 사람과 정서적으로 친밀한 관계를 맺는데 더 관심이 있다.
- 여자 청소년들은 큰 집단을 친구들의 연결망, 친한 친구를 발견할 장소, 지지와 신뢰의 근원으로 생각한다. 여자들은 자신들의 친구 관계가 애정, 친밀성에 있어 만족도의 정도가 높은 것으로 더 평가하는 경향이 있다. 여자 청소년들은 폭넓은 관계보다는 가까운 개인 관계에 더 시간을 투자하고 가까운 친구에 대한 사적인 정보를 더 많이 가지고 있다. 그렇기 때문에 신뢰와 비밀을 지키는 것이 더욱 강조된다. 따라서 이것을 깨뜨리는 것이 가장 큰 갈등의 원인이 된다. 14~16세 사이의 여자 청소년들이 동성 관계에 특히 많은 어려움을 겪는다. 그 이유는 이 때가 유사성과 상호성의 욕구가 크고 동시에 배타성의 욕구도 크기 때문이다. 여자들이 그런 특징에 부여하는 가치는 절대적 충성과 헌신을 동시에 요구하는데서 분명하게 나타난다. 이성과 사랑의 관계가 만들어져도 그 친밀성과 중요성은 가장 친한 친구와의 관계에 미치지 못한다.

- 청소년기 초기에는 이성 친구보다 동성 친구가 더 중요하다. 이 시기에는 남자들이 더 심하다. 이 시기에는 동성 친구가 깨지는 것에 대한 대가가 이성 친구 관계가 깨지는 것보다 훨씬 크다.
- 청소년기 중기에는 여자 친구들 사이에서 관계가 깨지는 것이 같은 시기의 남자 아이들이 친구들과 냉랭하게 지내는 것과 비교할 수 없이 더 큰 고통과 문제가 된다.
- 남자들은 더 큰 집단에서 규칙 체계가 더 폭 넓고 자신이 좋아하지 않는 아이들이 섞여 있는 상태에서도 지내는 법을 익힌다. 남자 청소년들은 관계의 친밀성보다 공동의 관심과 활동, 같이 있으면 즐거운 것과 태도의 유사성에 더 기초한다. 여자 청소년들에게 나타나는 개인적 경험과 반응에 대한 깊고, 반복적인 분석에는 별로 관심이 없다.

5. 어른들은 모르는 또래들의 은밀한 규칙

【 18번째 지혜 】
아이들 사이에는 어른들은 이해하기 힘든
그들만의 법칙이 있다

하상범

담당 학급을 배정하는 2월, 어떤 아이들을 만나느냐에 따라 교사의 1년 동안의 삶의 질이 달라진다. 그렇기에 교사들은 담당 학급을 배정받을 때까지 로또 복권을 사는 심정으로 하루를 살아간다.

대부분의 교사들은 무난한 학급이 배당되기를 기대한다. 하지만 복권이 기대를 저버리듯 교사의 희망은 물거품이 되기 일쑤다. 전 학년에서 문제를 일으켰던 학생이 포함된 학급을 맡으면 긴장할 수밖에 없다.

그 학생이 학급 내에서 부정적인 집단을 형성해 친구를 괴롭히거나 수업을 방해하고, 교사를 공격하면 학급 분위기는 걷잡을 수 없게 무너질 수 있기 때문이다. 그렇게 되면 아이들을 만나는 것 자체가 스트레스다. 특히 건강한 학생마저 부정적으로 변하며 학급이 무너지면 교사는 평생 잊지 못할 상처를 입는다.

부정적인 학생들이 집단을 이루면 행동은 더욱 거침없어진다. 자신들의 힘을 과시하려는 듯 교사의 지시를 일부러 무시하고 따르지 않

는다. 이들을 따로 불러 얘기하면 방어적인 태도를 취한다. 그리고 또
래 집단의 다른 학생에게 사건의 원인과 책임을 떠넘기려 한다. 집단
에 속해 있을 때와 전혀 다른 학생이라고 느낄 정도다. 그렇다 보니
개별 학생을 상대하는 게 아니라 집단에 대응할 수 있는 방안이 필
요한 것이다.

긍정적인 응집력을 발휘하는 학급으로 만들려면 집단을 이해하고 집
단을 움직여야 한다. 집단에 대응할 수 있는 노하우가 있다면 2월이
1년 중 가장 행복한 달이 될 수 있을 것이다.

좋은 행동이 좋은 행동을 낳는다

무너진 학급에서는 문제 행동을 하는 학생이 점차 늘어나는 현상을
흔히 볼 수 있다. 교사에게 협조적이던 학생이 교사의 요청을 거부하
며, 부정적 또래 집단과 어울려 그들과 동일한 행동을 한다. 다른 사
람의 행위를 따라하는 사회적 모방은 일상적인 현상이다. 우리 주변
에서도 자주 일어난다.

룰 헤르만스(Roel Hermans)가 이끄는 네덜란드 행동 연구팀은 '실
험 식당'이란 연구에서 마주 앉은 두 사람이 서로의 식사량에 어느
정도 영향을 주는지 살펴보았다. 예상대로 서로 영향을 주었으며, 상
대에 따라 식사량이 달라진다는 것을 증명했다. '먹방' 영상을 보며
밥을 먹으면, 평소 보다 많이 먹게 되는 것과 같은 이치다.

이처럼 다른 사람의 행위를 따라 하는 것을 '사회적 모방'이라 한다.
그리고 집단 내에서 모방하려는 경향을 '동조'라고 부른다. 간혹 학
교에서 교사의 말투나 행동을 따라하는 학생이 있다. 장기자랑과 같
이 교사와 학생의 거리를 일시적으로 해제한 상황에서 학생이 교사

를 모방하는 행위는 쌓였던 긴장을 풀어주는 긍정적 효과가 있다. 그런데 이것을 대수롭지 않게 넘겨버렸다간 어느 순간 많은 학생들이 아무렇지 않게 자신을 흉내 내는 모습을 보게 된다. 흉내 내는 사람과 이를 보는 사람에게는 즐거운 일일지 몰라도 당하는 사람에게는 곤혹스런 일이다. 가볍게 시작한 흉내 내기가 학급에서 교사의 말투를 따라하며 교사를 공격하려는 행위로 이어질 수 있다.

동조는 개인의 도덕성이나 역량으로 제어하기 어려울 수도 있다. 솔로몬 애쉬(Solomon Eliot Asch)는 세 개의 선이 그어진 카드 한 장, 그리고 한 개의 선이 그어진 카드 한 장을 놓고서 사람들에게 물었다. 세 개의 선에서 다른 카드의 한 개의 선과 동일한 것은 어떤 것인지. 이미 섭외된 가짜 실험자들이 잘못된 답을 골랐을 때, 마지막 남은 진짜 실험자의 3/4 정도가 이를 그대로 따랐다. 단순한 질문에서도 다수의 그릇된 판단을 그대로 따르는 사람들이 적지 않다. 개인의 도덕성이나 역량과 무관하게 다수가 특정 행동을 하게 될 경우, 나머지 사람도 그대로 따라할 확률이 높아진다.

사회적 모방은 성인에 비해 청소년기에 강하게 나타난다. 학급은 동일 지역에서 성장한 또래 청소년 20~30명이 모인 집단이다. 동조가 강하게 나타날 수 있는 조건을 갖추고 있는 것이다. 학급 공간 특성 역시 동조를 더욱 자극한다.

가까이 앉아 있을수록, 서로의 행위 여부가 서로에게 즉각 알려질수록 모방 경향이 높아진다. 교실 공간 또한 서로가 서로를 따라할 수밖에 없도록 만들어놓은 셈이다. 그렇다 보니 무너진 학급의 학생들은 급격히 다수의 문제 행동을 따라하거나 이에 동의하며 학급 분열을 가속화한다.

좋은 학급으로 만드는 방법은 좋은 행동을 따라하게 하고, 나쁜 행동을 못 하게 막는 것이다. 칭찬, 공유, 양보, 긍정적 피드백 등의 친사회적인 행동을 반복적으로 노출하고 공격적이고 부정적인 행동은 적극적으로 제어해야 한다.

단순한 전략이 가장 효과적일 때가 있다. 학기 초 학생의 행동을 관찰하고, 긍정적인 행동을 칭찬하고, 격려하면 기대 이상의 효과를 얻을 수 있다. 누구나 처음에는 좋은 모습을 보여주려는 경향이 강하기 때문이다.

학생의 좋은 행동을 파악해 전체 학생들에게 소개하며 칭찬해 주고, 이를 시상이나 가정통신문 등에 반영해 준다. 부정적인 행동을 보일 경우, 재빨리 불러 명확하게 설명해 주어야 한다.

교사는 학생들에게 좋은 행동을 반복적으로 환기시켜주고, 나쁜 행동을 사라지게 해야 한다. 단순하지만 매우 중요한 부분이다. 부지런하고 민감하고 일관적으로 노력해야 하는 어려움이 있지만 핵심은 이것이다.

우리라고 느낄 때 우리로 행동한다

좋은 행동을 따라하도록 했다면, 이제 응집력 문제를 따져봐야 한다. 이는 학생이 좋은 행동을 따라 하는 차원에 머물지 않고, 서로의 친밀도를 높여 흔들리지 않는 단단한 집단으로 가느냐 하는 문제이다. 응집력이란 서로 결합되어 있는 정도를 뜻하는 말이다. 축구에서 팀원 한 명 한 명이 모두 유기적으로 움직여 하나의 생명체처럼 경기하는 팀이 있다.

마찬가지로 학급 가운데서도 체육 대회에 모두 참여하여 서로 격려하고, 승리하면 서로 축하하고, 패배하면 서로 위로하는 모습을 보이는 경우가 있다. 이런 축구팀과 학급을 우리는 응집력이 강한 집단이라고 평가한다. 동조 경향을 활용하면 학생들이 좋은 행동을 하도록 만들 수 있지만 응집력을 높이기 위해서는 다른 전략이 필요하다. 응집력의 포인트는 소속감이다. 집단에 대한 소속감을 갖고 있느냐가 응집력을 결정한다.

리버스 동굴 실험에서 11세 소년 22명을 무작위로 나눈다. 이 순간부터 소년들은 자기 집단에 대한 소속감을 갖게 되고, 개인의 소속감을 토대로 각 집단은 응집력을 보이기 시작한다.[24] 그룹 내에서 규칙이 만들어지고 각자의 역할이 정해진다. 규칙을 따르면서 동일한 구성원이라는 점을 확인하고, 역할을 수행하면서 집단에 대한 소속감을 강화한다. 실험에서 알 수 있듯이 학생들이 학급에 대한 소속감을 강화할 수 있도록 방안을 시행해야 한다.

대인 응집력

우선 학급에 친한 친구들이 많으면 소속감은 자연스레 높아진다. 학기 초에 학급 학생들이 서로를 알고 있는지, 서로를 좋아하는지, 잘 지내고 있는지 등을 살펴야 한다. 학기 초에 친구 관계를 조사하는 이유다.

친구 관계를 알았으면 다음은 학급에서 여러 친구들과 인사하고 얘기할 수 있도록 기회를 만들어줘야 한다. 자리를 바꾸어준다거나, 인터뷰 형식으로 서로를 소개하게 하거나, 매달 생일 파티를 열어주는

24) 집단역학, Donelson Forsyth, Cengage Learning, 426-427p

등 서로 사귈 수 있는 기회를 만들어 준다.

학기 초에 다른 반에 있는 친구를 찾아가던 학생들이 차츰 학급 내에 머무르는 시간이 많아진다. 여기까지 왔다면 절반은 성공한 것이다. 그러나 소속감을 갖게 하기 위해서는 한발 더 나가야 한다. 학급 내에서 여러 친구를 사귄다고 해서 학급에 소속감을 갖는 것은 아니다. 또래 집단에 대한 소속감으로 한정될 수 있다. 학급에 대한 소속감보다 또래 집단에 대한 소속감이 강하면 학급을 제대로 인식하지 못할 수 있다.

집합적 응집력

학생들에게 학급 내 역할이 중요하다. 학급에서 자신이 맡은 역할이 학급에 필요하고 소중한 일이고, 이 역할로 교사와 학생들에게 인정받고 있다는 것을 알게 해주어야 한다. 이로써 학생들은 자신을 학급의 한 부분으로 느낀다.

교사는 개인별 또는 그룹별로 역할을 나누어 맡도록 한 후 지속적인 피드백으로 존재감을 확인해준다.

과제 응집력

다음 단계에서는 다 같이 힘을 모을 수 있는 기회를 마련해 주어야 한다. 우선 각자에게 주어진 역할을 수행하는 것이 학급 발전에 기여하는 것이라고 인식시켜준다. 이것이 가능하려면 학급이 추구하는 목표나 과제가 설정되어 있어야 한다. 그래서 학기 초 학급 회의에서 민주적 절차에 따라 학급의 목표와 과제를 정하고 학생들에게 분명히 공지해야 한다.

체육 대회, 학급의 날 등 각종 행사가 있을 때는 학급 목표와 과제를 언급하며 구체적인 방향을 알려주고 함께 힘을 모아야 하는 상황이라는 점을 상기시킨다.

정서적 응집력

마지막으로 정서적 응집력이 있다. 이는 학급 내에서 감정적 소통이 어느 정도 이루어지고 있느냐를 살피는 것이다. 학급 행사에 참여하는 모습에서 활기가 느껴지는지, 승리했을 때 함께 열광하고, 패배했을 때 서로 위로하는지, 평소 학급 내에서 감정적 표현이 원활하게 잘되고 있는지 등을 말한다. 감정적 소통을 원활하게 만들려면, 학생들이 서로의 감정에 공감하고 피드백해 주도록 해야 한다. 무엇보다 교사가 먼저 학생들의 감정 표현을 잘 읽어내고 반응해 주어야 한다.

학급을 맡는다는 것은 집단을 다루는 작업이다. 학생 개개인의 변화가 곧바로 집단의 긍정적인 변화로 이어지는 것은 아니다. 오히려 학급의 긍정적인 변화가 개인에게 보다 큰 영향을 준다. 학생들에게는 교사의 영향보다는 친구들의 영향이 더 크다. 다수 학생들이 좋은 행동을 하고, 서로에게 밀접하게 결속한다면, 부정적인 결과를 최소화할 수 있다.

긍정적인 결과를 이끌어내기 위해서는 개인이 아닌 집단 단위에서 일어나는 동조와 응집력 등의 규칙을 알아야 한다. 실제 학급에서 적용하는 방법은 새로운 것이 아니다. 우리가 했던, 주변에서 흔히 하는 방법이다. 단, 집단적 관점에서 흔한 방법이 왜 중요한지를 이해하는 게 필요하다.

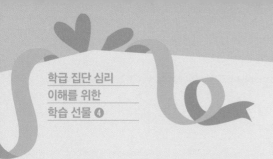
학급 집단 심리
이해를 위한
학습 선물 ❹

또래 압력과
또래에게 가해지는 집단의 규칙

김현수

1. 또래 압력에 의해 만들어지는 법칙 – 마이클 톰슨의 〈어른들은 잘 모르는 아이들의 숨겨진 삶〉 중에서[25]

- 네 또래와 같아져라 – 동조화 : 또래 압력은 진실보다 강하다.
- 반드시 집단에 속해야 한다 – 소속감과 멤버십 : 소속감에 따라 다르게 행동한다.
- 들어와라, 그렇지 않으면 나가라 – 인싸(insider)냐 아싸(outsider) 냐에 따라 자기 평가가 달라진다.
- 사회적 서열 속에서 자신의 순위를 알아라 – 순위를 모르면 아이들이 나댄다고 한다.
- 반드시 역할이 있어야 한다 – 아이들은 역할을 배정받는다. 배정받은 역할은 자신의 본성이 아니라 역할의 본성에 따라 행동하게 한다. 이 집단의 규칙을 모르는 아이들이 배제되기 쉽다. 집단의 규칙을 모르는 아이들을 찾아야 한다.

---

25) 어른들은 잘 모르는 아이들의 숨겨진 삶, 마이클 톰슨 등, 양철북, 2012, 152-173p

114

2. 또래 압력에 의해 만들어지는 법칙 – 나이토 아사오의 〈이지메의 구조〉 중에서 아이들의 질서 규칙[26]

* 집단에서 옳은 것
  - 많은 이들이 동조하는 것
  - 눈치가 빠른 것
  - 분위기를 잘 맞추는 것
  - 그 중심에 선 강한 자. 즉, 신분이 높은 자는 옳은 행동을 한다.
  - 따라서 그 강한 자에게 복종하는 것은 옳은 행동이다.

이 규칙을 무시하는 것처럼 느껴져 모두의 반감과 미움의 대상이 되는 것은 옳지 않은 것이다.

* 집단에서 옳지 않은 것
  - 모두로부터 동떨어져 있는 자
  - 모두와 똑같이 행동하지 않는 자
  - 모두와 다르게 행동하면서도 자신만만한 자
  - 약한 자. 즉, 신분이 낮은 자가 자존감을 가지고 있는 것은 굉장히 옳지 못하다.
  - 가장 옳지 못한 것은 지금, 여기를 넘어서서 보편적으로 옳은 것을 주장하면서 '고발'하는 위해와 그러면서 자신의 고귀함을 지키려고 하는 것이다.

---

26) 이지메의 구조, 나이토 아사오, 한얼미디어, 2013, 36-48p

가장 전염성이 강한 감정은 솔직한 감정이다

마이클 본드, 〈타인의 영향력〉, 35쪽

3부
행복하고 역량 높은 학급의 비법, 소속감과 응집성

1. 학급 소속감은
자긍심, 정체감까지 강화한다

김현수

【 19번째 지혜 】

소속시켜라, 그러면 행복해진다

가장 큰 고통은 소속되지 않은 것이다

소속에 대한 욕구는 굶주림에 대한 욕구만큼 강력하다. 관계에 대한 욕구를 주장하는 심리학자들은 굶주림은 일시적인 욕구지만 소속과 관계에 대한 욕구는 더 지속적이라고 주장한다. 매슬로우(Maslow), 바우마이스터(Baumeister), 리어리(Leary) 등의 심리학자들은 소속에 대한 욕구의 강력함을 주장한 학자들이다.

소속감을 박탈하는 배제나 탈락 혹은 추방은 아주 고통스러우며, 진화를 강조하는 이론에 따르면 죽음을 초래하는 강력한 결과를 초래할 수도 있다.

바우마이스터는 고립 암시에 대한 설문을 포함하고 있는 심리 검사 결과를 설명하면서 인생 후반부를 홀로 지내게 될지도 모른다고 통보했을 때 사람들에게 나타난 변화는 아주 부정적이었다고 했다. 소속감이 박탈당한다는 이야기만 들어도 사람들은 비판적이면서 이기적으로 변했고, 상대방에 대해서는 처벌적으로 변했다.[27]

사람을 고통스럽게 만드는 방법 중 가장 극심한 방법은 추방이라고 한다. 윌리엄스(Williams)라는 학자는 '배제'를 주제로 고안한 게임으로 아이들의 심리를 관찰했다. '아이들과 놀이를 하는데, 특정한 아이에게 공을 주지 않는 방식'으로, 즉 배제하는 방식으로 놀이를 했다. 그 때 아이에게 일어나는 반응을 관찰한 것이다.[28] 아이들은 아주 고통스러워하면서 얼어붙는 반응을 보이기까지 했다. 공을 뺏기 위해 싸우는 아이들도 있고, 도주하는 아이들도 있었지만 일부에서는 다른 친구들을 돕고, 친구가 되려는 반응을 보이기도 했다고 한다. 다른 친구를 돕고 친구가 되려는 반응을 보인 아이들은 그런 행동을 통해 친구들이 자신을 배제하지 않고 친구 집단으로 불러들여 줄 것으로 기대했기 때문이라고 한다. 소속이 없으면 고통스럽고, 소속되면 안전하고 편안해진다. 소속감은 행복의 기본적인 조건이다. 학급은 소속감을 주는 곳이다. 학급에 더 강력하게 소속감을 느낄수록 아이들은 만족할 것이다. 교사가 할 일은 아이들이 학급에 소속감으로 느끼고 행복한 학교생활을 영위하도록 하는 것이다. 교사가 배제를 자주 언급할수록 아이들은 얼어붙고, 도주를 고민하고,

---

27) 사회적 배척과 소속 욕구가 사회적 사건의 정서 예측에 미치는 영향, 김애리 등, 감성과학, Vol. 17, No.3, September 2014, 83-94p

28) Social ostracism by one's coworkers: Does rejection lead to loafing or compensation?, Williams, K & Sommer, K, Personality & Social Psychology Bulletin 1997, 23 (7) : 693-706.

싸울 생각을 하게 된다. "넌 누가 뭐래도 우리 반이야!" 소속시켜라, 행복해진다!

【 20번째 지혜 】
우리는 닮았고, 그래서 우리는 멋지다!

우리 편이 좋은 사람들이다! 이유는 없다.
그저 우리 편이기 때문이다!

낯선 사람들끼리 모이면 사람들은 하위 집단을 형성하기 위해 소속을 묻고 찾는다. 사회적 정체성의 하위 집단을 형성하기 위해 고향, 직업, 취미, 선호를 물으면서 소속감을 누릴 하위 집단을 형성하려고 한다. 이런 노력의 과정을 사회심리학에서는 범주화(어떤 사람들이지?-부류를 나누는 것)와 동일시(나랑 비슷한 사람은 누구지?)의 과정이라고 한다.

이 과정은 학급에서도 일상적으로 일어난다. 학급에 대한 소속감이 높으면 우리 반에는 나와 비슷한 성향을 가진 부류의 사람들이 모여서 나와 비슷한 것을 좋아한다고 느낀다. 즉 차이를 적게 느끼려고 하는 경향이 높아진다. 뿐만 아니라 우리 집단 내부의 사람은 더 좋고, 우수하고, 올바른 것으로 판단하는 경향까지 높아진다. 우리 속담에 '팔은 안으로 굽는다'라는 말은 아주 정확한 내부 집단 선호 속성을 잘 설명하는 말이다. 집단 정체성 혹은 사회 정체성의 확립은 내부 집단과 외부 집단으로 나뉘는 상황이 발생하면 더 극명하게 드러난다. 간혹 학급별 경쟁 활동이나 학교 간 경쟁 활동이 학급 소속감이나 학교 소속감을 높이는 것은 이런 집단 내부의 소속감, 정체성을 확연하게 높여주는 데 크게 기여하기 때문이다.

다만, 이런 경향은 객관성을 잃는 경우가 많아 편파성을 갖기 쉽다. 구성원 모두가 외부 집단은 나쁘고, 좋지 않고, 옳지 않다고 편파적으로 생각하는 경향이 아주 높다. 자신들의 집단이 더 우월하고 옳고 강하다고 생각을 하는 것은 자신들의 집단을 보호하기 위한 방어기제이기 때문이다. 만일, 자신들의 집단이 외부 집단에게 패배하는 일이 발생할 때는 아주 관대한 방식으로 이해하거나 설명하는데 그것은 집단에게 상처를 주지 않기 위해서다.

집단에 대한 자긍심이 떨어져서 집단에 대한 편파적인 지지가 줄어들면 개인의 자긍심도 떨어져서 개인은 집단에 대한 소속감을 버리기 시작하고 새로운 소속감을 찾아 나선다. 이런 상황을 파악하지 못하고 집단에 대한 자긍심을 강조하면 거센 반발이 일어난다.

【 21번째 지혜 】
혼자 해도 멋진데, 함께 하니까 더 멋지다!

개인과 집단, 균형을 이루어야 소속감으로부터의 자긍심이 유지된다
소속감을 지나치게 강조하면 개인의 개성이나 특성이 말살되거나 제한되고, 소속감이 주던 행복은 급격히 줄어들기 시작한다.

소속감을 유지하기 위해서는 개인은 존중받아야 하고, 격려받아야 한다. 집단 활동 참여는 최대한 자발성과 자율성이 보장되는 분위기에서 진행되어야 한다. 개성과 집단성의 공존, 그리고 개성과 집단성의 조화가 개인과 집단 모두의 발전을 이루어낸다. 혼자 하는 것도 좋지만 함께 하는 것도 멋있고, 함께 할 때 더 환상적인 결과를 만들 수 있다는 분위기가 중요하다. 개인과 집단의 균형 속에서 이루어지는 것들이 많아야 집단 속에서의 소속감이 계속 유지된다.

집단수의만 강조하면 개인늘의 소속감은 점차 약화되기 시작하고 개인주의적 경향의 사람들이 먼저 반응하기 시작한다. 이 경계나 이 지점을 잘 파악하는 것이 중요하다.

개인주의와 집단주의의 특성

	개인주의	집단주의
관계	교환적 관계	공동지향적 관계
관심	개인적 관심, 상호성 & 공평 규범	구성원들의 관심, 평등 규범
사회 정체성	독립적, 자율적 자아	상호적, 집단적 자아
주체	나, 독립주의	우리, 상호의존주의

자긍심은 소속감으로부터 오고, 소속감은 정체감도 강화시킨다

리어리는 개인들의 자긍심을 측정하던 중 새로운 사실을 발견했다. 자긍심을 예측할 수 있는 중요한 척도가 바로 소속감이라는 사실을 발견한 것이다. 즉 자긍심은 소속감으로 계측할 수 있다.

- 소속감이 높은 사람은 자긍심이 높다.
- 소속감이 향상되면 자긍심도 올라간다.
- 집단 안에서의 소속감 변화는 자긍심의 변동과 함께 일어난다.
- 집단 안에서 배제되어 소속감이 낮아지면 자긍심도 낮아지고 정체감도 약화된다.

개인의 자긍심이 집단의 소속감과 정비례한다는 사실에서 집단의 소속감이 자긍심 형성에 미치는 영향력이 매우 크다는 것을 알 수 있다. 자긍심은 스스로를 긍정적으로 생각하는 것에서 나오는 것이 아니라 집단 안에서의 평가에 기인한다. 그러므로 학생들의 자긍심을 높이고, 정체감을 강화하려면 소속감을 높여야 한다. 소속감을 높이는 여러 활동은 연쇄적으로 긍정적인 심리적 속성을 강화시킬 수 있다. 학생들의 긍정적 행동, 품격 있는 행동은 높은 소속감에서 오는 것이기에 과거 전통적인 학교들이 소속감을 강조했었던 것일 수도 있다.

소속감을 높이는 언어, 메시지, 활동을 지속하는 것은 그런 점에서 매우 중요하다. 그러나 그것이 자칫 배제나 추방에 대한 위협이나 협박이 되어서는 안 된다. 소속감을 높이면 자긍심이 높아지고, 높은 자긍심은 정체감을 강화한다.

군대의 위대한 힘은
리더의 기술에서 나오는 것이 아니라
병사들의 열정 즉 격렬한 감정에서 나오는 것이다

나폴레옹

2. 학급 소속감을 높이는 비법

【 22번째 지혜 】
"멋진 사람들끼리 모여서 지금 아주 잘하고 있다고 해야 한다"
그래야 뭉친다

김현수

학급의 소속감을 높이려면 어떻게 해야 하나요?

집단이 모였을 때, 그 집단을 단합시키는 것은 집단 리더의 기본적인 임무이며 중요 목표 중 하나다. 집단이 잘 뭉쳐서 응집력이 높으면 집단 구성원들의 정체성은 자연스럽게 강화된다. 그러면 사기가 높아져 집단 성장에 대한 의욕도 커진다. 이러한 분위기 속에서 이루어지는 구성원들의 상호 작용은 점점 더 긍정적 방향으로 흐른다.

구성원을 하나로 뭉치게 하는 응집력은 집단 내에 여러 개 존재할 수 있다. 노는 것에는 잘 뭉치는데 일을 안 하는 집단도 있고, 일은 잘 하는데 노는 것에는 안 모이는 집단도 있다. 집단 속에는 자연스럽게 뭉쳐서 놀거나 일하면서 생기는 응집력뿐 아니라 다양한 응집력이 있을 수 있으며, 이를 학급에 견주어 설명하면 다음과 같다.

학급 응집력의 종류

응집력(단합)의 종류	학생들의 지각과 생각
사회 관계 응집	이 반에는 내 친구들이 많다 / 멋진 애들이 많다
과제 응집	이 반은 일을 정말 잘 한다 / 팀워크가 잘 맞는다
지각된 집단 응집	생각보다 이 집단은 멋이 있다 / 나랑 잘 어울린다
정서 응집	이 집단을 보니까, 팀 정신이 있다 / 나랑 감성이 같다

한 집단이 보다 잘 뭉치고 단합을 잘 하려면, 이 네 가지가 모두 골고루 있어야 한다. 그리고 그 상태에서 집단의 리더가 지금 잘하고 있고 모두들 잘 단합하고 있다고 해석해주는 것이 매우 중요하다. 리더의 응집력에 대한 해석이 집단에 전달이 잘 될 때 응집력이 잘 유지된다. "멋진 인간들이 모여서 잘하고 있네, 우리 반은 진짜 잘하고 있다니까, 지금처럼만 하면 된다, 조금 더 잘하면 더 좋고."

이런 말들의 자극은 학급을 더 단합시킬 것이다.

학급에서의 응집과 단합은 소속감을 높이는 것은 물론이고 협동의 힘을 경험하게 한다. 이 경험은 중독성이 매우 강하다. 학교에서 개최하는 운동회, 합창 대회, 발표회 등의 여러 활동을 통해서도 학생들은 단합의 기쁨을 느끼고 행복해 한다. 특히 꾸준한 연습을 했다면, 학기 초와 달라진 학기 말의 모습을 보고 더 높은 자긍심을 느낄 수도 있을 것이다. 이 자긍심은 학급 성원들의 학급에 대한 정체성을 강화하고 높은 성취감을 맛보게 한다. 더불어 협동에 기반한 집단 활동의 기쁨도 맛보게 한다.

"우리 반 요즘 잘 나가고 있다"라는 이 단합의 기운, 사기가 올라가서 잘 유지되는 이 기조를 유지하는 것이야말로 아주 중요하다. 그러기 위해서는 네 가지 응집력인 사회 관계 응집력, 과제 응집력, 지각된 집단 응집력, 정서 응집력이 골고루 모두 잘 조화를 이루어 빛을 내주어야 한다.

학급 단합이 잘 되기 위한 조건들

학급 단합이 잘 되기 위해서는 다음의 다섯 가지 선행 조건이 있는 것이 좋다.[29]

1) 매력적인 아이들이 많이 모이면 좋다

인기 있고 매력적이면서 튀지 않는 아이들이 적절히 모여 있으면 응집력이 좋아진다. 아이들에게 호감을 주는 아이들이 있으면 반 분위기는 단합하는 쪽으로 움직인다.

2) 잘 어울려 노는 아이들이 바뀌지 않고 안정되면 좋다

함께 어울리고 노는 아이들이 바뀌지 않고 고정되는 것이 좋다. 그리고 이 범위의 친구들이 지속적으로 유지되는 것이 좋다. 즉 구성원이 일정한 것이 좋다.

3) 핵심 집단의 크기가 너무 크지 않은 것이 좋다

핵심 집단의 규모가 크면 분열이 쉽고 단합이 어렵다.

---

29) 집단역학, Donelson Forsyth, Cengage Learning, 2014, 124-128p

4) 학급의 역할 배분이 잘 되어 있을수록 좋다

단합을 위한 역할을 서로가 잘 받아들이고 배분이 잘 되어 있는 것이 좋다. 그리고 구조화가 잘 되어 있으면 좋다. 역할 배분은 잘 되어 있을수록 응집이 높아진다.

5) 적절한 통과 의례가 있으면 단결력 강화에 좋다

적절한 통과 의례가 있으면 멤버십이 좋아지고 응집력이 강해진다. 집단의 단합을 위해 적절한 통과 의례로 파티, 의례, 훈련 등을 적절히 활용하는 것은 구성원들 간의 특별한 단합에 강력한 영향을 준다.

이상 다섯 가지 요소를 모두 갖추기란 쉽지 않다. 몇 가지 요소를 잘 활용해 학급의 단합을 추진해가는 것이 필요할 것이다.

집단 응집성 3요소

학급 집단이 뭉치기 위해서 필요한 세 가지 조건은 다음과 같다.

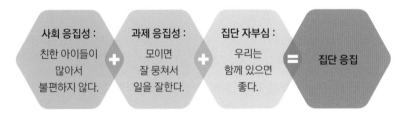

함께 모이는 것에 불편이 없을 정도로 친해야 하고, 모여서 같이 무언가를 했을 때 잘 했었다는 집단 유능감 즉 과제 중심의 응집력을 발휘해 봤던 경험이 있어야 한다. 그리고 함께 있어서 좋았다는 집단

자부심이 있어야 한다. 이럴 때 집단은 원심력이 아닌 구심력을 갖고 뭉친다.

어려운 일이 생기면, 개인적으로 열심히 해서 집단 전체에 기여하고 싶은 마음이 생기고, 또 그래서 집단이 잘 되면 집단 전체가 개인에게 혜택을 충분히 제공하는 신순환이 생긴다. 그래서 집단 응집성은 더 강화된다. 개인의 고양과 집단의 고양이 동시에 일어나는 것이다. 모임이 만들어지면 친목을 우선 도모하고, 그런 다음에 일거리를 만든다. 모든 구성원이 새로운 일거리에 집중해 잘 처리했다면 서로 격려한다. 이 과정을 통해 집단으로서의 자부심을 공유하고 집단 응집이 더 강화되면서 결속을 높여나가는 것이다.

집단은 이 선순환을 통해 성장한다. 이 과정을 간단히 도식화하면 다음과 같다.

학급 집단 응집의 과열이 주는 부작용은 무엇인가?

너무 뜨겁고 행복하고 친했던 학년의 생활이 주는 결과는 긍정적인 영향만 있는 것은 아니다. 일부 부작용을 남기기도 한다.

학교생활에서의 학년이란 1년을 기점으로 전환한다. 대부분의 공립학교에서는 새로운 만남을 위해 1년 단위로 이합집산을 하기 때문에 분리와 재결합, 재구성이 일어난다.

아주 좋았던 이전 학년의 경험이 오래 지속되면 분리와 재결합, 재

구성에 어려움이 생길 수도 있다. 향수와 함께 허전함을 느끼기도 하고, 새 학년에 대한 어색함과 낯설음이 더 깊게 느껴질 수 있다. 좋았던 선생님은 사라지고 새로운 선생님은 이전 선생님과 다르다. 이전 학급에 비해 새 학급은 여러모로 부족하고 일체감도 떨어진다. 그런데 새 학급의 교사는 반을 통솔할 줄 모른다면 자꾸 불만이 쌓일 수밖에 없다.

'고참 분대장 증후군'이라고 부르는 현상도 있다. 오래된 고참 분대장이 바뀐 후 분대 전체가 갑자기 이상해지는 현상을 말한다. 응집성이 높았던 분대는 사라지고 구성원은 갈 길을 잃은 사람처럼 중심을 잃는다. 일체감이 높고 충성심이 높았던 병사들이 분대장 교체 후 일체감도 흐트러지고, 새로운 분대장에게 충성을 결정하지 못한 상태에서의 혼란을 말한다.

또한 응집이 지나치게 높은 집단은 분열이 적다는 장점은 있지만 집단 사고에 빠지고 비판적 사고가 어려우며, 희생양 현상에 빠지기 쉬울 수도 있다. 집단 전체가 우둔한 고집불통의 아저씨처럼 될 수도 있다.

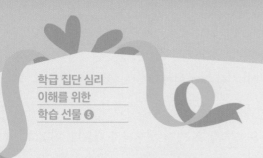

학급 집단 심리
이해를 위한
학습 선물 ❺

재미없는 일을 어떻게
뚤뚤 뭉쳐서 하면 잘할 수 있는가?

【 23번째 지혜 】

지루한 일도 관계 중심으로 사람들과 재미있게 하면

생산성이 높아진다

김현수

바나나 타임의 신비

단조롭고 심심한 일을 하면서도 생산성을 높이고 업무 능률을 향상하는
공장들이 있다. 어떻게 그 과정이 가능한가? 이 과정에 대한 궁금증을 가
지고 있었던 심리학자 로이(Roy)는 정말 단순한 작업을 하는 공장에 직
접 취업해봤다.[30)]

그리고 그 집단의 높은 집단 생산성 비결을 몸소 체험했다. 집단 응집력
도 높고, 작업 생산성도 높았던 공장은 일단 하루 일과가 잘게 나뉘어져
서 중간에 쉬거나 이동하거나 하는 시간들이 꽤 있었다. 이 과정마다 사

---

30) "Banana Time: Job Satisfaction and Informal Interaction." Roy, D., Human Organization,
    1959, 18: 158-168

130

람들은 리츄얼을 연결시켰는데, 일과마다 농담, 수다, 간식, 대화, 율동, 노래가 마련되어 있었다.

로이가 이 과정을 분석해본 결과, 엄밀하게 보면 작업은 부차적이고 일련의 다양한 리츄얼을 통해 사람들끼리의 만남이 이어지는 과정이라고 봐도 과언이 아니었다. 일과는 재미있을 뿐 아니라 서로를 보살피고 관심을 나누고 도와주는 시간들의 연속이었다. 오히려 그 시간들이 주를 이루고 그 매듭마다 작업이 배치되었다고 봐도 무방했다. 그래서 그 작업은 아주 생산성이 높았다. 지루해보였지만 재미있게 수다 떨면서 다음 단계로 이어졌고, 또 간식과 함께 다음 단계로 이어지고, 그런 후 노래와 함께 다음 단계로 이어지는 형식이었다. 그리고 바나나 타임에는 자신의 대화 친구를 찾아가 한참을 놀다가 작업을 다시 시작할 때가 되어서야 다시 나타났다.

정말 단조로운 공장이나 작업 과정에서 사람들이 버티고 그 일을 재미있게 해내는 방식은 그 업무에 초점을 두는 방식이 아니었다. 사람들 즉 함께 일하는 사람들의 응집, 관계, 대화, 돌봄에 초점을 두고 지내는 것이었다. 이것이 잘 작동하면 집단 생산성이 높아지고 즐겁게 일할 수 있다. 그리고 이것을 조금 더 가능하게 하려면 하루 일과를 덜 지루하게 잘 나누고, 시간표를 조금 더 세분화할 필요가 있다.

3. 학급 응집성과 우정의 관계
(학급이 잘 뭉치면 우정도 커질까?)

최미파

'학급 응집'이란 학급 집단의 건강함을 가리키는 지표다. 응집력이 큰 집단은 지속적으로 잘 유지되는 특징이 있다. 이는 집단에 속한 구성원들이 강력하게 연결되어 있고, 집단이 추구하는 목표를 끊임없이 공유하며, 이를 통해 강력히 결합되어 있다는 것을 의미한다. 즉, 학급의 응집성이 높아질수록 학급 구성원들 간의 관계가 더 돈독함을 알 수 있다.

학급 응집력의 요소는 흔히 학급 매력, 학급 일체감, 학급 내 상호 작용 정도라고 한다.[31]

'학급 매력'은 학급 구성원이 느끼는 학급 내 다른 친구나 학급에 대한 만족감, 자부심을 의미한다. '학급 일체감'은 학급 구성원이 학급과 자신을 동일시하는 정도를 표현하는 말이다. 소속감, 공동체 의식, 학급에의 헌신 등을 뜻하기도 한다. '학급 내 상호 작용 정도'란

---

31) 학생자치법정에서 학급집단응집성이 또래압력에 미치는 영향, 김겸미 외, 법교육연구, 2015, 6-7p

학급 구성원이 서로 신뢰하면서 교류하는 수준을 의미하며, 학급 활동의 참여 수준, 의사소통 빈도, 또래 집단 간의 협조 등을 나타내는 요소다.

정리하자면 학급 응집력이란 학급 구성원들이 학급에 대해 느끼는 매력을 반영하는 것이라 정의할 수 있다.

학급이라는 집단에 매력을 느끼는 방식은 크게 세 가지 방식인데 이는 소속감 법칙과 크게 다르지 않다.

첫째, 내가 좋아하는 아이들이 우리 반에 많다고 느낄 때 우리 반이 좋다.

둘째, 내가 좋아하는 과업, 활동에 우리 반이 관심 있고 잘 한다고 느낄 때 우리 반이 좋다.

셋째, 내가 좋아하는 아이들 중에 학교에서 인기 있는 아이들이 있어서 우리 반이 좋다고 느낀다.

응집력이 강해지면 학급에 어떤 과업이 주어졌을 때 이를 성취하고자 협동한다. 그리고 그 과업이 이루어졌을 때 개인적 자기 존중감이 높아지는 선순환이 발생한다.

학급 응집성이 높으면?

필자는 4년 동안 여자고등학교에서 1, 2, 3학년 담임을 경험했다. COVID-19가 한창 유행하던 2020년에 담임을 맡았던 1학년 학급의 점심시간 모습을 보면서 학급 응집성의 중요성을 절실하게 느꼈다. 1학년 학생들은 대부분 같은 중학교를 나온 친구들끼리, 혹은 학원에서부터 알고 지내는 사이끼리 학교 입학 전부터 SNS 등을 통해 연락하며 점심팸이 되기로 약속하고 같이 급식을 먹는 모습을 보이곤 했다. 그 조합은 관계가 나빠지지 않는다면 거의 1년 내내 유지되곤 했다. 그런데 COVID-19 팬데믹 상황으로 학급 순서대로 반 친구들끼리 급식을 먹고, 학급끼리 함께하는 시간이 많아지다 보니 학급에 대한 일체감이 향상되는 모습을 발견할 수 있었다.

학급 아이들과 상담을 하면서 "반에서 누가 가장 편해?"라는 질문으로 편한 친구를 물어보면 대부분 특정 인물을 얘기하곤 했는데, 2020학년도 학급의 거의 모든 아이들의 첫 대답이 "다 좋아요"였다. 특히 2학기에 상담했던 한 친구는 교실에 있는 게 어떠냐는 질문에 갑자기 눈물을 뚝뚝 흘렸다. 학급 내에서 힘든 일을 겪고 있는 것이 아닐지 걱정했으나, 다행히 감사하게도 반과 반 친구들이 너무 좋아서 곧 2학년이 된다는 사실이 너무 슬프다고 이야기 해줬다. 이렇듯 학생들이 학급에 대한 매력을 많이 느끼게 될수록 학급에 대한 응집력이 더 커지는 것을 실감할 수 있었다.

응집력이 높은 반을 만들기 위해서는 선생님이 맡은 학급을 좋아한다고 반 아이들에게 이야기해주는 것이 매우 중요하다. '선생님이 좋아하는 너희들이 우리 반에 있어서 참 좋다'와 같은 담임교사의 한마디가 학급 응집성을 높이는 데 큰 역할을 할 수 있다. 학급 응집력이 높다는 것은 구성원들끼리의 관계에도 긍정적인 영향을 끼치며 학생들 각자가 스스로에 대한 안정과 만족감을 느낄 수 있음을 의미한다.

우정 요인

우정은 학교생활을 하는 청소년기 학생들에게 굉장히 중요한 개념이다. 학생들이 우정을 나눌 사이로 발전하기까지 다섯 가지 요인을 고려한다. 우정 요인은 인기 요인과도 상당히 비슷하다고 볼 수 있다. 첫 번째는 호감에 대한 개인적 요인이다. 학생들은 각자 중요하게 여기는 것이 무엇인가에 영향을 받는다. 실제로 학생들 사이에서 매력이 넘친다고 평가받는 친구를 대부분 호의적으로 생각하는 경향이 있다.

학생 중에 춤을 굉장히 잘 추는 아이가 있었다. 무대 장악력이 훌륭하고 무대에서 넘치는 에너지를 보여주는 매력적인 친구였다. 그 아이는 실제로 친구들 사이에서 인기도 좋았고, 다른 친구들로부터 호감을 많이 얻었다.

두 번째 요인은 신체적 속성이다. 학생들은 외모나 키와 같이 집단이 중요하게 여기는 신체적 속성을 우정 요인으로 본다. 사회적 행동도 우정 요인 중 하나인데, 친사회적 행동, 즉 다른 사람에게 이득을 주는 행동을 자주하는 아이들이 그렇지 않은 아이보다 더 호감을 얻었다. 지능 또한 우정 요인이 될 수 있으며, 마지막으로 정신 건강, 즉 심리적 안정이 우정 요인으로 크게 작용하며, 안정된 아이들이 가장 인기 있는 아이가 될 가능성이 높다.

학습과 우정 사이

학급 응집성과 우정은 매우 큰 연관성을 갖고 상호 작용하며, 우정과 학급 응집성이 높으면 학업 수행 능력이 향상된다.

학생들은 다른 친구들로부터 거부당하거나 미움 받는 것 때문에 자신이 지니고 있는 학업 능력을 제대로 발휘하지 못하는 경우가 종종 있다. 자신이 학급에 수용되지 못하고 있다고 느끼면 그로 인해 불안을 경험하게 되고, 자존감이 낮아진다. 이는 더 나아가 학업 수행을 저해하는 결과로 이어지기도 하는 것이다.

이렇듯 학급 응집력은 학업 수행 능력에도 영향을 미친다. 그렇다면 어떻게 해야 학습 생산성을 높일 수 있을까?

학습 생산성은 학급 응집성이 높은 반에서 더 높게 나온다. 우정과 응집성은 서로 적극적으로 돕는 관계다. 학급 응집성과 우정 향상의 상호적 작용에 있어 가장 중요한 것은 '수용'이다. 또래들 사이에서 인정받고 수용되면 자신의 매력이 향상되었다고 느낀다. 또한 학급에 대한 기여도 촉진함으로써 학급 응집을 높이고 학업 수행 능력 향상 가능성을 더 크게 만든다.

학급이 전체적으로 수용하는 분위기로 변하면 학급 분위기 역시 당연히 좋아진다. 학생들 간에 수용이 일어나는 것이 가장 중요하며 이는 서로의 매력을 긍정적으로 받아들인다는 것을 의미한다.

교사의 칭찬과 관심을 받으면 싫어하던 과목에 관심이 생기고, 수용적인 태도를 통해 그 과목 수업에 대한 성취도가 향상되기도 한다. 이를 통해 교사와의 관계까지 좋아지기도 한다. 실제로 고등학생들과 영어 수업을 할 때 겪었던 일이다. 많은 학생들은 영어에 대한 거부감으로 인해 영어 수업을 별로 좋아하지 않았다. 하지만 수업 수준을 학생들의 수준에 맞게 조정하고, 수업 내용 역시 학생들이 관심 가질만한 내용으로 바꾸었다. 또한 성취한 것에 대해 칭찬을 반복하자 학생들이 수업에 관심을 보이기 시작했다. 영어 수업에 대한 인식이 긍정적으로 바뀌었고, 수용하고 있다는 것을 느낄 수 있었다. 영어 수업이 즐겁다고 표현하는 친구들을 통해 '수용'의 중요성을 다시 한 번 느낄 수 있었다.

학급 구조적 관점

학급의 형태를 크게 두 가지로 구분할 수 있다. 첫째는 인기 있는 소수 아이 중심의 중앙 집권적 학급이며, 둘째는 여러 개의 작은 인기 그룹으로 나뉜 분산 집권적 학급이다.

학급 구성원들이 서로 좋아하고 똘똘 뭉치려면 몇 명만 주목받고 사랑받는 중앙 집권적 학급이 아니라 각 소집단 아이들이 리더가 되어 학급을 이끌어야 한다. 즉, 인기 있는 아이 몇 명의 그룹에 의해 구조화되는 분산 집권적 학급이 보다 높은 학급 응집성을 지닐 수 있음을 의미한다.

더불어 교사가 혼자 쭉 가르치기만 하는 전통적인 수업 방법 보다 모둠 활동이나 프로젝트 수업 등을 통해 학생들이 서로 협력할 수 있는 수업이 학생들의 우정 향상을 이끌 수 있다.

학생들의 주체적인 다양한 시도가 있다는 것은 그만큼 자신의 매력을 발산할 기회가 생기는 것을 의미한다. 활동을 수행해나가는 과정에서 구성원들 간에 우정이 향상되며 그를 통해 학급의 응집성이 높아진다.

응집력이 높은 학급은 관계를 형성함에 있어 호의적이지만 응집력이 낮은 경우 우정 형성에 관심이 없는 경향이 있다. 누구나 다 역할을 맡고 기여하는 바가 있는 다원적 구조의 학급일수록 우정과 응집력이 높다. 그렇기 때문에 교사는 학급을 운영함에 있어 학생 개개인이 소중한 존재라는 중요성과 각자가 학급에서 기여하는 바가 있음을 강조해야 한다.

인기 있는 학생 중심으로 학급이 움직이면 학급은 응집하지 못한다. 특히 학급 내에서 인기 있는 아이와 인기 없는 아이가 극명하게 나뉘면 학급의 응집력은 낮아진다. 실제로 고등학교 1, 2학년 담임을 맡았을 때 응집력에 대한 온도 차이를 확연히 느낄 수 있었다. 고등학교 1학년들의 경우 새로운 친구들과 친해질 수 있도록 학기 초에 다양한 활동을 진행하여 학생들이 학급 내에 관계를 폭넓게 형성하고 학급에 대한 응집력을 높일 수 있었다.

반면에 고등학교 2학년들의 경우 이미 1학년 학교생활을 함께 하면서 서로에 대한 매력과 성향을 알고 있어 학급의 응집을 이끌어내기 쉽지 않다. 인기가 많은 아이들이 학기 초 임원 선거에 나와 당선되고 자연스럽게 그를 중심으로 학급 분위기가 형성된다. 이에 따라 학급 내에 인기 있는 그룹과 인기 없는 그룹으로 나뉘고 학급 전체의 응집력은 높지 않은 모습을 보인다.

교사의 역할

학급 응집성을 높이기 위해서는 학기 초 교사의 역할이 중요하다. 새 학기가 시작되면 상담을 통해 아이들의 우정 관계를 빠르고 명확하게 파악해야 한다. 또한 새로운 관계를 맺을 수 있도록 관심을 기울이는 것 역시 필수 요소다.

학급 응집력에 미치는 교사의 영향력은 생각보다 크다. 학생 전체에게 골고루 영향력을 준다면 학급 응집력은 커지고, 전체가 아닌 일부에게 편파적이면 학급 응집성은 약해질 수밖에 없다.

교사의 인정이나 관심은 개인의 인기에 영향을 준다. 교사로부터 인정받은 아이들은 학급 내에서 지위를 갖게 되고 우정을 형성함에 있어 더 유리한 위치에 오른다. 교사가 특정한 아이를 인정하지 않으면 다른 아이들도 그 아이를 인정하지 않는다는 사실을 잘 기억해야 한다. 더불어 아이들은 늘 교사의 행동을 관찰하고 있다는 것을 잊어서는 안 된다. 또래에게 비호감인 학생이라 하더라도, 그 학생을 대하는 교사의 태도를 보고 아이들은 교사에 대한 신뢰를 결정하며, 교사의 인정 여부에 따라 그 학생을 대하는 태도가 달라지는 경우는 흔하다. 학급에서 학생들에게 교사의 영향력은 굉장하다. 교사 스스로 의식하지 못했던 행동 하나가 학생에게 큰 상처나 감동을 줄 수도 있다. 그렇기에 아이들 존재 자체에 관심과 애정을 갖고 아이들의 삶에 늘 궁금증을 가져야 한다.

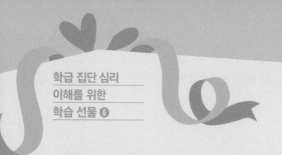

우정과 학급 응집 사이의 법칙 플러스 알파

김현수

【 24번째 지혜 】

인기 있는 아이와 인기 없는 아이가 극명하게 나뉘면
학급 응집력은 낮아진다

【 25번째 지혜 】

인기 없는 아이를 교사도 엄격하게
대하는 경향이 있다는 것을 알아야 한다

1. 우정과 학급 응집의 개념적 차이
- 우정 : 집단원 개인들 간의 상호간 매력을 반영
- 학급 응집 : 집단원들의 집단에 대한 매력을 반영

2. 응집력이 높은 학급은 우정 형성에 호의적, 응집력이 낮은 학급은 우정에 관심이 없다
- 대체로 많은 아이들이 자기 반 아이들을 전체적으로 좋다고 느끼는 것이 바람직하다.

- 학급 아이들 중 인기 있는 아이와 인기 없는 아이가 극명하게 분리되면 학급의 응집력은 낮아진다.

3. 우정 요인이 평균적으로 높고, 서로가 긍정적으로 바라보고자하는 노력이 클 때 학급의 구조는 다원화된다

- 다원적 구조의 학급에서 누구나 의미 있는 역할을 하고 또 기여하는 바가 있는 분산 집권적 구조가 될 때, 학급 응집이 높고 우정도도 높아진다.
- 학급이 다원적, 분산적, 민주적 구조를 이룩하려면 교사는 학생 각각의 중요성과 저마다의 기여를 강조해야 한다. 인기 있는 소수의 학생을 중심으로 운영되면 학급은 중앙 집권화가 되어 비민주적으로 운영된다.

4. 우정과 학급 응집에 미치는 교사의 행동

- 학급의 응집력에 미치는 교사의 영향력은 크다.
- 교사의 편파성은 학급의 응집력을 약하게 만든다.
- 교사의 인정이나 관심은 학생들의 인기에 영향을 주고, 지위에도 영향을 미치며, 우정 요인에도 유리한 조건을 제공한다.
- 교사는 이를 알고 행동해야 하며, 때로 가장 거부되는 아이에게 가장 엄격하게 대하는 경향이 있고, 그래서 약한 아이들의 지위를 더 약하게 할 때가 있다.

【 26번째 지혜 】

또래들 사이에서 인정받고 수용되어

자신의 매력이 높아졌다고 느끼는 것이

학생을 향상시킨다

5. 우정과 응집성의 상호 작용 영향에 관한 연구 [32]

1) 학업 수행

- 우정과 응집성이 높으면 학업 수행 능력까지 오른다. 서로 협력하기 때문이다.
- 미국의 대법원 판례 - 유명한 연구 : 다양한 인종이 함께 할 때 더 좋은 결과가 나타날 수 있다. 단, 두 가지 조건이 필요하다.
  - 첫째, 누구나 성취가 가능한 학교의 시스템
  - 둘째, 백인 집단 안에서의 수용 여부
- 통합 교육에서도 마찬가지로 어떻게 받아들여주는 과정을 만드느냐가 더 관건이다.
- 서로가 수용하고 협력하게 하느냐 → 교사의 인정과 학생의 노력이 잘 결합되어야 한다.
- 교사 중심적 전통 학급 vs 상호 의존적 개방 학급 → 상호 의존적 개방 학급에서의 결과가 좋다.

---

32) 학급의 사회심리학, R. Schmuck, 김경식 역, 원미사, 2000, 242-247p

2) 수용이 가장 중요하다

수용이 일어나게 하는 것이 가장 중요하다 → 그것은 학생의 매력을 강조하는 것이다.

3) 응집과 성취는 집단의 욕구에 따라 달라질 수 있다

높은 응집이 높은 성취를 나타낼 수 있지만, 높은 응집이 낮은 성취를 나타낼 수도 있다. (똘똘 뭉쳐서 열심히 하자고 할 수도 있고 다 같이 하지 말자고도 할 수 있는 것이다.)

6. 응집성 중 가장 강한 응집성으로, 흔히 '기적'을 불러일으킬 정도의 강력한 응집성은 어디에서 비롯되는가?

- 가장 강한 응집성은 정서적 응집성이다.
- 감성, 감정적 응집성이다. 가장 많이 회자되는 응집성은 정서 응집성으로 올림픽, 월드컵 등의 스포츠를 포함하여 익스트림 스포츠, 등산이나 극한의 도전을 이루어낸 집단에서 사례를 찾을 수 있다. 기적같은 성공을 이룩한 팀이나 집단을 인터뷰하면 이 정서적 응집에 관한 내용이 대부분이다. 설명하기 힘든, 기적처럼 벌어진 일들의 결과, 정서적 응집성의 결과에 대해 우리는 해마다 여기저기서 전해 듣는다.

> 집단에서의 성공은 어떤 내용의 소통을 하느냐보다
> 모든 구성원이 어떻게 참여하느냐에 달려 있다
> 마이클 본드, 〈타인의 영향력〉, 40쪽

4. 학급 활동 참여를 높이는 비법
- 학급 활동, 개인 작업과 집단 작업의 선택

최미파

【 27번째 지혜 】

다 같이 하면 더 잘하는 일과
혼자 하면 더 잘하는 일은 다르다

수업 중에 활동을 진행할 때 아이들은 혼자 수행하는 개인 활동을 더 잘할까? 아니면 함께하는 협동 활동을 더 잘 해낼까? '백지장도 맞들면 낫다'라는 표현을 생각하면, 아무리 쉬운 일이라도 여럿이 하면 혼자 하는 것보다 쉽고 많은 일을 할 수 있을까?

이에 대한 답은 그리 간단하지 않다. 함께하면 일의 효율이 더 높아질 때도 있지만 어떤 일은 혼자 수행할 때 더 좋은 결과를 이끌어 낼 때도 있다.

집단 속에서 일하면서 개인의 작업 능률이 향상되는 현상을 설명하고자 할 때 '사회 촉진 현상'을 떠올릴 수 있다. 사회 촉진 현상이란 어떤 일을 혼자 수행할 때보다 주위의 여러 사람이 함께 해서 개인의 작업 능률 및 수행 능력이 더 높아지는 현상을 말한다.

이러한 현상은 특별히 동료에게 잘 보이기 위해서나 경쟁하기 위해서가 아니더라도 동료가 옆에 있기만 해도 일을 수행하는 능력이 더 좋아지는 현상이다. 이런 사회 촉진 현상을 유도하기 위해 수험생들은 도서관이나 독서실에서 공부하는 것을 선호하기도 하고, 체육 시간에 함께 연습하는 등의 모습을 보이기도 한다.

학교에서 아이들의 뮤지컬 공연 연습을 통해 사회 촉진 현상을 경험했다. 고등학교 1학년 학생들이 한 학기 동안 반 전체가 각자 연출, 배우, 소품, 음향 등의 역할을 맡아 작품 하나를 완성했다. 개인의 역할이 주어졌지만 그것을 혼자 하지 않고 배우들은 배우들끼리 같이 연습했고, 연출팀은 머리를 맞대고 함께 회의하고 개선책을 찾아가면서 더 수준 높은 공연을 만들어내며 학년을 마무리했다. 준비를 해나가는 과정에서 지치거나 갈등이 생길 수도 있었을 터인데 힘들 즈음에 온라인 채팅으로 서로 응원하며 잘하고 있다고 격려했다.

【 28번째 지혜 】
누군가 지켜보고 있을 때 열심히 하는 일이 있고, 그렇지 않은 일이 있다

사람이 있을 때, 사람들은 더 열심히 일한다

그렇다면 타인과 일하며 긍정적인 영향을 받고자 하는 사회 촉진 현상은 왜 발생하는 것일까? 사람이 있을 때 왜 사람들은 더 열심히 하게 되는 것일까? 사회 촉진을 설명해주는 대표적 이론으로 추동 이

론, 평가 불안 이론, 분산-갈등 이론, 사회 지향 이론이 있다.[33]

첫 번째는 로버트 자욘스(Robert Zajonc)가 주장한 추동 이론(drive theory)이다. 쉽게 말하면 다른 사람이 '단순'히 존재하고 과제가 쉬워서 과제 수행에 지배적인 반응만 필요할 때 사람들에게는 일을 추진하고자 하는 동기가 생기고 사회 촉진이 발생한다는 것이다.

두 번째 평가 불안 이론(evaluation apprehension theory)은 심리학자 니콜러스 코트렐(Nickolas Cottrell)이 주장한 이론이다. 그는 평가에 대한 염려와 불안으로 인해 더 열심히 하게 되고, 평가의 압박이 타인의 존재가 더 생산적이도록 하는 이유 중 하나라고 설명한다. 앞서 살펴본 추동 이론에서 자욘스가 흥분 반응이 사회 촉진 현상의 근원이라고 보았다면 평가 불안 이론에서 코트렐은 불안감(타인의 평가)이 사회 촉진 효과를 야기한다고 본 것이다.

사람들이 타인과 함께 일을 수행할 때는 완료해야 하는 일과 타인 사이에서 주의가 나뉘게 된다는 인지적 관점에서 분산-갈등 이론(distraction-conflict theory)도 존재한다. 주의 분산이 과제에 대한 집중을 방해하기도 하지만 노력에 의해 극복될 수 있다고 보는 관점으로, 타인의 주목이 동기를 유발시켜 과제가 수월할 경우 수행을 촉진시킬 수 있다.

마지막으로 사회 지향 이론(social orientation theory)은 사람들이 사회적 상황에 대해 전반적으로 지향하는 바가 다르다고 전제하는 관점이다. 타인에게 긍정적으로 나타내려는 동기가 큰 사람은 사회 촉진 효과를 보여줄 가능성이 높으며 이에 따라 열심히 과제를 수

---

33) 집단역학, Donelson Forsyth, Cengage Learning, 2014, 317-320p

행하려는 자세를 보여준다.

집단 내에서 일하며 개인의 작업 능률이 향상되는 이러한 사회 촉진 현상은 학급이라는 집단 내에서도 많이 찾아볼 수 있다.

수업 중에 진행하는 조별 활동을 떠올려 보자. 조별 퀴즈를 진행한다고 가정했을 때, 아이들은 자신이 속한 집단 내에서 긍정적인 영향을 끼치기 위해 노력하는 모습을 많이 보여준다. 수업을 진행하는 교사나 다른 조의 친구들, 같은 조의 친구들이라는 타인의 존재만으로도 사회적 존재들에 대한 기본적인 흥분 상태와 평가에 대한 압박, 타인의 주목, 서로에 대한 긍정적인 기대 효과가 나타난다. 이러한 현상을 통해 학생들은 사회 촉진 현상을 보여준다. 타인의 존재가 개인의 노력 향상에 기여하기도 하지만 긍정적인 영향을 끼치지 않기도 한다. 앞서 추동 이론을 주장했던 로버트 자욘스는 우세 반응과 비우세 반응이라는 용어를 사용해 사회 촉진 이론에 대해 설명했다.[34] 그는 어떤 행동을 다른 행동에 비해 학습과 수행이 더 쉽다고 지적했는데 이를 우세 반응으로 설명한다. 우세 반응은 다른 모든 잠재적 반응보다 지배적인 것이고 반대로 비우세 반응은 수행 가능성이 적은 행동을 의미한다. 즉, 우리가 쉽고 자신감 있게 자전거를 타거나 빨리 먹기 활동을 하는 것은 우세 반응으로 대부분 열심히 하고자 한다. 반면에 어려운 수학 문제를 푼다거나 시를 새로 쓰는 등 새롭고 복잡하거나 연습되지 않은 행위에는 일반적으로 사회 촉진의 증거가 거의 발견되지 않는다. 이를 비우세 반응이라고 볼 수 있는 것이다. 자욘스의 연구로 타인의 존재는 우세 반응의 수행 경향은 증가시키

---

34) 집단역학, Donelson Forsyth, Cengage Learning, 2014, 315p

고 비우세 반응의 수행 경향은 감소시킨다는 것을 알게 되었다. 타인이 존재하는 상황에서 하기 쉬운 우세 반응들을 나타낸다면 사회 촉진이 발생하고, 혼자 있을 때보다 타인이 있을 때 수행을 더 잘하고 성과를 얻게 된다. 반면에 수행해야 할 과제가 비우세 반응을 요구하면 타인의 존재는 수행을 오히려 빙해할 수 있다.

예를 들어 단어와 그에 어울리는 표현을 한 쌍으로 외운다고 했을 때, '하늘-푸르다', '깨끗하다-더럽다' 등은 일반적으로 잘 학습될 수 있는 우세 반응이 맞는 쉬운 과제이기에 타인이 존재한다면 수행 능력은 더 우수하고 사회 촉진 현상이 발생한다. 하지만 '하늘-비우세', '운동 발생적-인형' 등 일반적이지 않은 관련성을 학습해야 한다면 연습되지 않은 행위이기 때문에 비우세 반응을 해야 하고 이에 따라 사회 촉진 현상은 발생하지 않고 타인의 존재는 도움이라기보다는 해로울 수 있다.

학급 내에서의 참여 촉진

앞서 살펴본 사회 촉진 현상이 발생하는 상황과 그렇지 않은 상황을 학급에 적용한다면 어떤 점을 알 수 있을까?

자욘스의 추동 이론에서 살펴봤듯이 타인이 존재하며 쉬운 과제를 수행할 때 사람들에게 동기가 발생한다. 또한 그의 모형인 사회 촉진 이론에서도 열심히 하게 되는 우세 반응일 때 사회 촉진 현상이 발생하며, 이는 학급에서도 마찬가지다. 쉬운 과제를 다 함께 하는 것은 사회 촉진이 발생할 수 있지만 어려운 과제를 하게 되는 경우에는 집단 내에서 개인의 작업 능력을 향상시키기 어렵다. 그렇기 때문에 학급에서 다 함께 열심히 하는 분위기를 만들고자 한다면 쉬운 과제를 제안해야 한다. 집단 전체가 수월하게 일을 진행하고자 한다면 쉬운 일을 함께 할 수 있도록 과제를 제시하고 자기 효능감을 얻도록 도와주어야 한다. 스스로 할 수 있다는 것을 아는 것에서 그치지 않고 집단 효능감을 느끼도록 도와주는 것이 중요하다.

실제로 고등학교 영어 수준별 수업을 진행할 때 사회 촉진에 대해 경험했다. 영어 수준별 수업 중 하반 친구들과 수업할 때 처음에는 동기부여를 해보고자 지문에 나오는 핵심 어휘들에 대한 활동지를 만들어 본문 학습 전 활동을 진행했다. 하지만 학생들의 학업 성취도 기준에서 어려운 수준이다 보니 돌아다니며 도움을 주어도 수행을 촉진할 수 없었다. 이후에 지문이 아니라 학생들이 느끼기에 쉬운, 도전적으로 다가갈 수 있는 기초 어휘들을 포함한 활동지를 만들어 반 전체를 대상으로 활동을 진행하니 생각했던 것 이상으로 잘 따라왔다. 덕분에 손쉽게 과제를 수행했고, 사회 촉진 현상을 볼 수 있었다. 학업 측면에서 집단 수행에 관해 사회 촉진 현상이 나타날 수 있는 방안에 대한 관심이 많다. 학생들이 스터디 그룹을 형성해서 공부를 하는 것이 더 나을까? 아니면 혼자 공부하는 것이 더 좋은 결과를 만들어낼까?

어려운 과정을 이해해야 하는 학습의 경우 타인의 존재 없이 혼자 하는 것이 더 좋고, 시험 문제를 공부하는 과정에서는 함께 공부하면 좋은 결과를 만들 수 있을 것이라고 말한다. 즉, 난이도가 높은 과제 유형은 사회 촉진 현상을 발생시킬 수 없기 때문에 어려운 것은 혼자 수행하는 것이 효율적이다. 덜 평가적으로 느끼는 존재와 함께 학습하고자 할 때, 과제에 대해 능숙해지고자 할 때는 같이 하는 것이 좋다.

【 29번째 지혜 】
학급 집단이 함께 하면
손해가 일어나는 상황이 어떤 경우인지 알아야 한다

사회(참여) 태만_몰래 빠지기 혹은 무임승차하기

학급이 하나가 되어 함께 하는데 오히려 부정적인 영향이 일어나는 경우는 어떤 경우일까? 쉽게 말하면 학급이라는 집단에서 과제를 수행할 때 각 개인의 노력이 감소하는 경우가 발생하기도 하는데 이를 '사회 태만'이라고 부른다.

'사회 태만'이란 '집단으로서 수행하는 것이 개인으로서 과제를 수행하는 것보다 더 적게 일한 결과를 빚는 것'을 의미한다. 이 개념에 대해 살펴볼 때는 링엘만 효과 이야기를 빼놓을 수 없다.

19세기 프랑스 농업 기술자인 막스 링엘만(Max Ringelmann)은 집단 생산성을 연구한 최초 연구자 중 한 명이다. 그는 집단이 개인을 능가하는 것은 확실하지만 집단의 사람 수가 많아질수록 효율성은 점점 낮아짐을 발견했다.[35]

그래서 그의 이름을 딴 링엘만 효과(Ringelmann effect)는 집단 크기의 증가로 인해 생산성이 낮아지는 경향을 의미한다. 이에 대해 가장 먼저 떠오르는 말은 아무래도 '무임승차'인 듯하다.

그룹 활동을 할 때 적극적으로 참여하지 않는 조원이 발생하지 않는가? 이런 현상은 우리 모두가 한 번쯤 경험해 보았을 것이다. 발생한 사회 태만을 해결할 수 있는 방법을 알아보는 것 큰 의미가 있다.

---

35) 집단역학, Donelson Forsyth, Cengage Learning, 2014, 323-328p

【 30번째 지혜 】

모두가 다 함께 열심히 하고 있다는 것을 알려주는
시각적 장치가 중요하다

사회(참여) 태만_슬쩍 빠지기를 줄이는 해법 6가지

학급 내에서 사회 태만을 줄이기 위한 해결 방안은 무엇이 있을까? 앞서 함께 얘기 나눈 무임승차의 개념을 최소화하는 것이 필요하다. 무임승차(free riding)는 말 그대로 다른 사람들이 자신의 느슨함을 만회해 줄 것이므로 자신의 몫보다 적게 하는 것을 의미한다. 다른 구성원들이 그리 열심히 하지 않는 것 같다는 의심이 들면 무임승차할 가능성이 높다. 그렇기 때문에 다른 사람보다 더 많이 해봐야 이득이 없다고 느껴지면 무임승차 효과는 커지기 마련이다.

이에 대해 호구 효과(sucker effect), 즉 다른 사람들은 다 안 하는데 내가 왜 해야 하는가라는 의문은 동료들이 능력은 있으나 열심히 안 하고 게으름 피운다고 느낄 때 가장 강하게 나타난다. 그렇기 때문에 첫째, 학급에서 구성원들 개개인의 노력이 보이도록 과제를 진행해야 무임승차 효과를 낮출 수 있다.

무임승차 효과를 최소화하기 위해 많이 고심했던 해가 떠오른다. 학급 야외 활동을 진행할 때 다 같이 움직이기도 하고 조별 인원이 크다 보니 아무것도 하지 않고 무임승차 효과를 바라는 아이들이 당연히 있었다.

그래서 이에 대해 학급회장, 부회장과 논의하여 조원들 모두에게 역할을 부여하기로 했다. 24명의 아이들을 6명씩 4조로 나눠 외부 활동을 진행해야 하는 상황이기 때문에 각자의 역할을 부여해 서로의 안전과 협동을 꾀하고자 했다.

모둠 장의 역할, 조별 사진 미션을 수행하며 추억을 남기는 사진작가 역할, 도로 이동 등에서의 안전을 책임지는 안전요원 역할, 활동별 시간을 체크해 주는 타임키퍼 역할, 온라인 연락망을 담당하는 역할, 이동하는 곳마다 쓰레기 체크 등을 맡아주는 환경 지킴이 역할로 나누어 아이들이 서로 노력하고 있는 모습을 알 수 있도록 책임을 부여했다. 생각보다 성실하게 수행했고, 주어진 역할에 대해 끝까지 책임감을 보여줌으로써 학급의 활동을 긍정적인 방향으로 이끌어 나가는 모습을 볼 수 있었다.

두 번째로 누가 어떤 일을 하는지 알 수 있도록 식별 가능성을 높여야 한다. 과제가 집합적이어서 자신의 노력이 확연하게 보여 지지 않는다고 느끼면 사회 태만이 일어나기 쉽다. 하지만 자신이 평가 대상이라고 느끼면 조금 더 노력하게 되고 일의 생산성이 높아진다. 그렇기 때문에 각 과제를 수행할 때 각자의 역할을 명확히 식별하고 서로의 기여도를 서로 볼 수 있는 환경을 만들어 주는 것이 중요하다. 그래서 담임교사로서 학급을 운영할 때 가능하면 모두가 각자의 역할을 담당할 수 있도록 역할을 구체적으로 나누려고 노력했다. 가장 대표적인 것이 청소 활동이다. 교직 첫해에 방학식을 앞두고 단체 대청소를 할 때 다 같이 주변 구역 청소하자고만 권하고 말았다. 결과는 상상할 수 있는 그런 모습이었다. 각자에게 역할을 주지 않았더니 무엇을 해야 할지 몰라 청소가 제대로 진행되지 않았다. 그래서 2학기부터 대청소의 날이 되면 번호별로 혹은 기존에 하고 있던 1인 1역을 기준으로 칠판 정리 1명, 교실 창문 닦기 4명, 교실 1분단 청소 2명 등 역할을 구체화하고 각자의 역할을 명시해 서로 어떤 부분에 기여하고 있는지 확인할 수 있도록 했다.

각자 맡은 역할을 알고 있으니 서로 같이 사용해야 하는 청소도구를 공유하며 순서를 기다릴 줄도 알게 되었고 더 힘든 역할을 맡은 친구를 도와주는 아이들의 모습도 볼 수 있었다. 서로의 기여도를 알고 힘듦을 이해할 수 있도록 학급의 청소 당번을 정할 때 역할을 구체화하기도 하지만 해보지 않았던 역할을 경험해 보는 것에도 중점을 두었다. 예를 들어 3월에 1번 친구가 교실 쓸기를 담당했다면 4월에 다시 청소 차례가 돌아올 때는 교실 닦기를, 5월에는 복도 닦기 등을 배정하여 역할마다 기여도를 알고 서로 이해하도록 했다.

사회 태만을 해결할 수 있는 방법 중 세 번째는 목표 설정이다. 명확하고 도전적인 목표를 정한 집단들은 목표 의식이 결여된 집단보다 성과가 좋다. 목표 없이 과제를 수행하기보다는 목표를 명확히 설정하고 수행할 때 목표에 더 가까이 다가간다. 주의할 점은 목표가 쉽게 달성 가능한 것보다는 도전적인 것이어야 한다는 것이다. 달성할 수 있지만 조금 더 목표가 높은 것이 바람직하다.

필자는 학급 담임을 하면서 영어 교과에서의 태만을 막기 위해 어휘 수행평가에 대해서 간식 내기를 즐겨 한다. 모두의 성취도가 같은 것은 아니기 때문에 개인의 성적을 몇 점 이상으로 설정하기보다는 집단의 동기 부여를 위해서 집단 전체의 합산 점수를 목표로 설정하곤 한다. 예를 들어 학급 인원이 20명이고, 어휘 시험을 30개 정도 본다고 하면, 총 600개 중에서 학급의 성취도 수준을 고려하여 조금 더 높은 목표를 제안한다. 그러면 당연히 아이들은 훨씬 낮은 목표치를 얘기하고 그 중간 정도로 합의를 하여 20명 학생들이 평균 23개 정도 맞는 460개 정도로 목표를 설정한다. 이렇게 하면 성적이 많이 낮거나 하고자 하는 의지가 없는 친구들도 100점이 목표가 아니라 자신이 할 수 있는 범위까지 하고자 하는 의지를 보여주고, 다른 친구들도 그 친구들에게 같이 해보자고 독려하는 모습을 보인다.

네 번째로 참여의 증가가 사회 태만을 해결해줄 수 있다. 경쟁을 즐기거나 집단에서 타인과 일하기 좋아하는 사람은 태만할 가능성이 적다. 또한 도전적이고 어려운 과제는 태만을 줄이지만 보상이나 처벌에 의해 구성원의 개인적 결과가 결정되어도 태만이 감소하기도 한다. 집단의 규모가 너무 크지 않고 성공적 수행의 보상이 개인보다 집단 단위로 주어지고, 보상이 구성원들 사이에 거의 동등하게 분배된다면 사회 태만 현상은 감소한다.

마지막으로 집단의 정체성 증가도 태만을 감소시킬 수 있다. 이는 집단 구성원이 자신의 집단과 동일시하는 정도를 증가시켜 집단의 구성원으로서의 소속감을 증가시키는 방법이다. 구성원이 자기 인식과 정체감을 집단에서 찾는다면, 구성원의 사회 태만은 사회적 노력(social laboring)으로 대체되고, 집단을 위해 더욱 노력하게 된다. '나'에게 중요한 과제이기보다 '우리'에게 중요한 것이라면 더 노력하게 된다는 의미다.

담임교사를 맡으며 아이들이 "선생님 진짜 우리 반 너무 좋아요. 우리 반이어서 1년 동안 정말 행복했어요"라고 말해줄 때가 가장 보람되고 정말 행복하다. 사회 촉진 방안과 사회 태만을 방지할 수 있는 팁들이 행복한 학급 운영에 도움이 되길 바란다.

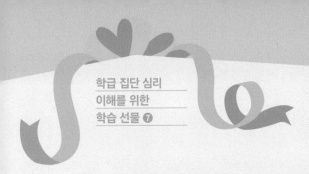

학급에서 함께 하는 일의 종류에 따라 달라지는 응집

김현수

1. 우세 반응
다 같이 하기 쉽고, 함께 하자고 했을 때 결과가 좋은 활동
• 특징 : 쉽고, 재밌고, 함께 하기 쉬운 일 → 자전거 페달을 함께 밟는
　　　 일 → 소리를 같이 지르는 일 → 낚싯줄 감는 일 → 다 함께 달
　　　 려갔다 오는 일

2. 비우세 반응
다 같이 하기 어렵고, 격차를 보이고, 좋지 않은 결과를 보이는 활동
• 특징 : 어렵고, 반응이 다양하며, 함께 하기 어려운 일 → 수학 문제 푸
　　　 는 일 → 시를 쓰는 일

교사가 학급에서 우세 반응이 나오는 활동을 많이 할수록 학급 응집이
높아짐을 경험할 수 있다. 반면 비우세 반응 활동을 많이 할수록, 특히 이
를 강요하는 분위기에서 할수록 학급 응집이 낮아진다.

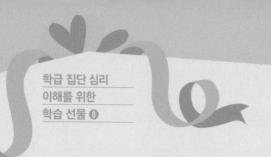

학급 활동 참여 향상
6가지 방법 요약

김현수

1. 누가 하는지를 분명히 알 수 있게 해야 한다

- 활동 식별 방법을 활용하고, 활동의 기여도를 타인들이 볼 수 있는 방법을 쓰는 것이 좋다.

2. 무임승차 최소화

- 무임승차 효과는 파급 효과가 크다. 동시에 열심히 하는 사람들에게 호구가 되었다는 느낌을 들게 한다.
- 무임승차를 줄이는 중요한 방법 또한 구성원들의 노력이 명시적으로 보이게 하는 것이다. 노력이 시각화되면 무임승차 효과는 줄어든다.
- 동시에 다른 사람보다 더 열심히 해도 이득이 없다고 느끼는 상황이 발생하지 않게 설명을 하는 것이 중요하다.

※ 다 안 하는데 내가 왜 해 → '호구 효과'라고 부른다(sucker effect) : '호구 효과'는 동료가 능력은 있으나 열심히 안 한다고 할 때 가장 커진다. 모두가 함께 열심히 할 때 호구 효과는 줄어든다.

3. 목표 설정

- 최선만 다하자고 할 때보다 집단 목표·소집단 목표·개인별 목표를 제시할 때 목표를 더 달성한다.
- 목표는 도전적이어야 한다. 조금 더 노력을 기울여야만 달성할 수 있는 것으로 즉 약간 상향된 목표에 도전하도록 해야 참여도가 높아진다.

4. 참여 증가의 조건

- 선의의 경쟁일 때
- 약간 어려우면서, 처벌이나 보상에 대해 개인적 분별이 있을 때
- 성공적 수행에 대한 보상이 집단에 주어질 때
- 집단의 크기가 크지 않을 때
- 보상이 구성원들에게 균등할 때

5. 집단의 정체감이 높으면 원래 참가를 많이 하고, 정체감을 증가시키는 작업을 하면, 그 활동이 집단의 정체감과 더 직접적으로 연결되어서 참여가 더 많아진다

6. 집단 노력 모형 조건 : 과제가 쉽고, 달성 가능하고, 의미가 있고, 결과와 보상이 공유될 때

- 상대적으로 게으름과 태만은 여성보다는 남성에게, 동양보다는 서구에서, 단순 과제보다는 복합 과제에서 늘어난다.

우리의 본질적 자아의 중심에는
남을 돕고 싶어 하는 마음이 있다.
상대가 충고를 구할 때 얼마나 뭉클해지는지,
마음의 문을 열고 상대를 돕겠다고 나설 때
얼마나 마음이 요동치는지 생각해보라

세실 앤드류스, 〈유쾌한 혁명을 작당하는 공동체 가이드북〉

4부
학급 집단 심리 해결의 키워드, 의사소통

1. 학급에서의 집단들은
어떻게 영향을 주고받는가?

김현수

【 31번째 지혜 】
학급 민주주의는 학급 내 소수를 대하는
태도를 통해 알 수 있다

다수는 힘이 세다. 학급 구성원은 다수에게 영향을 미치는 소집단
에 동조하고, 이 소집단이 학급을 주도한다. 학급을 주도하는 소집
단은 다수를 확보하기 위해 학급 구성원에게 보이지 않는 동조 압
력을 행사한다.

동조가 얼마나 큰 힘을 발휘하는지는 여러 실험에서 입증하고 있다.
솔로몬 애쉬(Solomon Asch)의 선분 크기 비교 실험은 이를 가장
드라마틱하게 보여준다. 하나의 선을 예시로 보여준 후 같은 길이의
선을 고르는 간단한 실험에서 연기하는 피실험자들이 전혀 다른 답
을 골랐을 때, 실제 참여하는 피실험자는 매우 혼란스러워 하다가 다
른 동료들이 고른 틀린 답에 동조한다. 여러 번의 기회 중 완전히 틀
린 답을 한 번 이상 선택하는 비율이 75~80%에 이른다고 한다. 36)

다음과 같은 경우가 다수 집단에 동조하는 경향이 특히 높은 경우나 상황이다.

- 권위적이고 강압적인 리더가 반을 지배하면 동조 압력이 높다.
- 집단이 안정적인 분위기를 추구하면 동조 압력이 높다.
- 단합을 강조할 때, 동조 압력이 더 강하다.
- 학기 초, 학기 중간이, 학기 말보다 동조 압력이 강하다
- 친한 여성 집단에서 동조가 더 강하게 일어난다.
- 집단주의 성향이 강한 분위기가 개인주의 성향이 강한 분위기보다 동조가 더 강하다.
- 온라인으로 한다고 해서 동조 비율이 더 많이 떨어지는 것은 아니다.

학급 내 소수는 어떻게 존중받을 수 있는가?

학급 분위기가 민주적인지 알아 볼 수 있는 방법 중 하나가 다수를 이끄는 집단이 분위기를 지배하는 가운데 소수 집단들이 어떻게 지내느냐를 살피는 것이다. 동조 압력이 거세면 소수 의견을 가진 아이들의 거취는 위축될 수 있다. 그렇기 때문에 다수의 의견과 다른 소수 의견을 표현할 수 있는 기회가 있는지, 약자를 보호하는 학급 내 제도나 장치가 있는지, 있다면 이를 잘 지키고 있는지가 학급 분위기를 결정한다.

우리는 회의할 때 토의보다 투표에 중점을 두고 의사 결정으로 직행하는 오류를 범한다. 민주적 학급 분위기를 만들기 위해서는 충분한

---

36) 집단역학, Donels on Forsyth, Cengage Learning, 2014, 186~188p

토론과 다양한 의견을 듣고, 심사숙고하는 과정을 거쳐야 한다. 의견이 다른 소수자를 이해하고 배려하기 위한 제도로 첫 번째로 꼽히는 것은 충분한 토론이다. 다양한 입장에 있는 학급 구성원의 이야기를 충분히 들을 수 있다면 여러 의견이 공존한다는 것을 알 수 있고, 이것이 모여져서 다수로 합쳐진다는 것 역시 알 수 있다.

두 번째로 중요한 것은 특정 의견에 반대하는 소수에게 자신의 의견을 말할 수 있도록 기회를 주는 것이다. 학급에서 누구의 의견이든 똑같이 중요하다는 것을 보여주는 것이야말로 가장 중요한 학급 민주주의 요건이다.

마지막으로 중요한 것은 선택의 다양성이다. 한 가지 선택만 강요하기보다 여러 가지 의견 중에서 자유롭게 선택하되 책임지도록 하는 것이 좋다. 또한 획일적인 선택만 있는 것이 아니라 선택의 여지가 여러 개 있다면 다수의 선택이 아닌 소수의 의견을 선택할 수도 있다. 즉 무엇이 자신들에게 좋은지, 유리한지, 선호인지, 적합한지에 대해 토론한 후 자유롭게 선택할 수 있도록 하는 것도 소수자를 보호할 수 있는 좋은 방법이다.

학급 민주주의를 해치는 가장 최악의 상황은 토론 후 한 가지 의견을 결정하고 모두가 그 결정에 일률적으로 따라야만 하는 경우다. 이렇게 되기까지는 강요, 강압, 비자발적 상황이 개입되었을 개연성이 높다. 이럴 경우 결정한 의견이 존중받지 못하고, 문제가 발생하기 마련이다.

때로는 소수가 다수에게 미치는 영향이 더 커지는 경우가 생기기도 한다. 소수의 의견이 일관성과 함께 꾸준히 영향력을 발휘하면 동조하는 사람이 점차 늘어난다. 특히 충실한 변론과 함께 특정한 혜택이나 효과가 입증되면 소수가 다수로 전환되기도 한다. 물론 이것은 시간과 성실성, 그리고 소수자의 지위와 시간을 버텨낼 지지력이 있어야 가능하다.

모스코비치(Moscovici)는 소수가 다수에게 영향을 끼쳐왔다는 소수 위력론을 주장했다. 그의 주장은 소수 이론이 '타당화 과정'을 반복하면서 전향하는 사람을 확보하고, 더 정교하고 옳은 이론으로 변모해 다수 이론으로 부상한다는 가설을 배경으로 하고 있다. [37]

【 32번째 지혜 】

충분한 토론이 가능하다면 입장에 변화가 일어날 수도 있다

유죄에서 무죄로? 무슨 일이 일어난 것인가?

레지날드 로즈(Reginald Rose)라는 극작가는 1958년 〈12명의 성난 사람들〉이라는 희곡 작품을 발표했다. 이 희곡은 12명의 배심원이 최종 판결에 이르는 동안의 과정을 담고 있다. 희곡의 기본 플롯은 비교적 단순하다.

"학대 받던 아들이 아버지를 칼로 찔러 죽였다. 이 사건 재판에 12명의 배심원이 배정되었고, 그들은 일단 유죄, 무죄를 묻는 예비 투표로 배심을 시작했다. 배심원들은 처음에는 유죄로 판결했다. (한 명만 무죄를 판결했고, 11명은 유죄로 판결했다.) 그리고 여러 번에 걸쳐서 의견을 나누기로 했다. 의견을 나눌수록 아들의 정당방위 의견

---

37) 다수를 바꾸는 소수의 심리학, 모스코비치, 문성원 옮김, 뿌리와 이파리, 2010.

이 높아지더니 최후 결과는 예비 투표 때와 반대로 바뀌었다. 아들의 정당방위, 무죄로 최종 판결이 나왔다."

이들에게 무슨 일이 일어났던 것인가? 소수 집단이었던 반대의견이 시간이 흐르면서 다수 집단으로 변하는 '전향'이 다수에게서 일어났던 것이다. 이 희곡은 12명이라는 소집단에서 일어난 개인들 입장의 변화, 그 과정에서 일어난 일들, 각 사람들의 처음 입장과 마지막 입장으로의 변화 과정 등을 잘 묘사하고 있어서 집단 심리를 설명하는 예시 자료로 활용되고 있다.

다음은 사람들이 한 가지 의견에 대해 토론 후 갖는 입장의 종류다. 학급에 어떤 의견이 제출되었을 때, 학생들은 토론 후 처음의 입장과 달리 다음과 같은 종류 중 한 형태의 입장을 갖는다. 그리고 토론 전 예비 투표를 하고, 토론 후 투표하면 다른 결과를 갖게 되는데, 그것은 집단 압력에 대한 사회 반응의 결과다.

토론 후 나타나는 집단 압력에 대한 사회 반응의 형태[38]

종류	사회 반응
응종	겉으로는 동의, 속으로는 집단에 비동의
합치	겉으로 동의, 속으로도 동의
전향	처음에는 동의하지 않았으나 겉으로나 속으로 모두 동의하는 것으로 바뀜
독립	집단의 의견에 처음부터 무관, 자신의 입장대로 일관
반동조	겉으로는 비동의, 속으로는 사실 무관심, 혹은 동의, 비동의, 집단을 따르지 않음

---

38) 집단역학, Donels on Forsyth, 남기덕 등 공역, Cengage Learning, 2014, 191p

처음에 동의, 비동의 중 하나였으나, 토론 후 학생들은 함께 토론한 학생들 틈 속에서 여러 가지 압력을 주고받은 후 응종, 합치, 전향, 독립, 반동조의 의견을 내놓는다.

동조 압력에 영향을 미치는 요인들

소집단 간의 지지를 결정하고 특정한 그룹에 아이들이 호감을 표시하거나 때로는 경쟁을 펼치다가 굴복을 하게 되는 것은 특정한 요인이나 소문 혹은 어떤 사실이 밝혀졌기 때문이다. 또 토론 과정에서 입장을 바꾸거나, 입장을 바꾸려다 다시 고수한 사람에게 왜 그런 판단을 하게 되었는지 물어보면 크게 세 가지 요인이 작동할 때였다.

첫째는 정보였다. 새롭고 믿을 만한 정보는 사람들의 판단에 영향을 미친다. 정보의 신뢰성이 높을수록 사람들은 큰 영향을 받았다. 그래서 사람들은 계속 새로운 정보를 찾거나 만들어 낸다. 가짜 뉴스나 헛소문이 만들어지는 부작용이 있지만 정보는 그 집단의 중요한 특성을 알게 해준다.

두 번째는 규범이었다. 어떤 집단이 그 사회가 지켜야 하는 관습 혹은 규범, 문화, 의식, 도덕 등을 따르지 않는 것은 사람들에게 큰 충격을 준다. 그것은 사람들이 약속한 것을 거역하는 행위였고, 자신들을 기만하는 행위로 받아들인다. 규범 위반은 신뢰할 수 없는 집단이라는 꼬리표를 붙이는 가장 큰 동기로 작용한다.

세 번째는 대인적 특성이었다. 동조하거나 비동조하는 사람들의 특성, 설득하거나 지지하는 사람들의 특성, 지지자들이나 비지지자들의 여러 특성이 판단에 영향을 미쳤다. 그래서 그 집단을 지지하면 특정한 특성의 사람들과 어울려야 하고, 그것을 수용해야 하고, 견뎌야한다는 것을 사람들에게 알려서 부정적으로 인식하게 하거나 부작용을 알게 한다.

학생들도 자신이 속한 집단이 유리한 입장을 갖도록 하기 위해 소문, 규범, 집단의 특성에 대한 이야기를 계속 만들어 낸다. 소설이나 영화 등에서 이런 시도를 무수하게 보아 왔다. 작은 근거가 있어도 사람들은 개연성을 만들어 내고 일반화해 개인이나 집단에 대한 입장, 이야기, 판단의 근거들을 무수히 만들어 낸다. 학급 역시 그런 상호 작용과 입장, 이야기들이 전개되는 한 편의 연극과 유사하다고 할 수 있다.

2. 학급 토론은 준비가 필요하다

【 33번째 지혜 】
학급 집단 토론이 효과적으로 되기란 쉽지 않다

김현수

원래 집단 토론은 쉬운 일이 아니다. 집단 구성원이 모여서 함께 이야기하기의 어려움에 대해 우리는 너무나 간과하고 있다. 루빈(Rubin)의 대학생 연구 실험에서 집단 토론 참여자의 결과를 보면 쉽게 알 수 있다.[39] 집단 토론에 대한 공지를 사전에 받고 참석한 대학생 중에서 33%가 정확한 토론 방향을 모르겠다고 했고, 49%가 자신이 반대하는 사람의 요점을 모르겠다고 했으며, 35%는 자신의 의견을 정확히 내세우지 못했다.

집단 토론은 어떤 사안에 대해 심사숙고하고, 결정 내리기 위해 진행하는 것이다. 그렇지만 집단 토론은 집단 안에서 무언가를 잘 결정하기 위해 이루어지기보다 오히려 결정을 피하기 위한 방편으로 이용하는 경향도 높았다. 집단 토론에서 결정을 잘 내리지 못한다는 속성을 간과하고 있는 사람들이 활용하는 방식이다.

------

39) 집단역학, Donels on Forsyth, Cengage Learning, 2014, 337p

집단 토론에서 지연, 고집, 책임 부정, 시간 끌기, 만족하기 등의 현상이 주로 나타나고 있다면 이 토론은 회피 전략의 하나로 활용되고 있다는 뜻이다.

또한 집단 토론에서 토론에 참여하는 사람들이 자신의 입장과 관점을 주제적으로 결정하는 것도 쉬운 일은 아니다. 제안자나 주장자들의 내용을 정리해서 듣거나 단순화하거나 혹은 해석하는 일을 어려워하는 사람들도 많았다. 이는 편향된 정보 공유와 확대가 쉽게 일어나는 원인이다. 그러므로 토론 진행 과정에서 정보를 제대로 전달하는 것 자체도 아주 중요한 일이다.

집단 토론의 실패는 사소한 이유에서 발생한다

집단 토론은 흔히 안건 소개, 토의, 의사 결정 그리고 이행이나 실천 방식 결정의 흐름으로 이루어지는 것이 대부분이다.

집단 토론은 성공 보다 실패하는 경우가 많다. 실패하는 원인을 살펴보면 대부분 사소한 이유들이다.

노스코트 파킨슨(Northcote Parkinson)은 집단 토론의 가장 흔한 실패 사유로 두 가지 법칙을 제시했다.[40] 첫 번째는 시간의 법칙이다. 회의의 안건을 효율적으로 다루는 것에 초점을 맞추지 않고, 회의 시간에 맞추어 토론을 한다는 점을 지적했다. 즉 문제의 크기나 중요성에 따라 회의하지 않고, 회의 시간에 맞추어 회의를 진행함으로써 토론을 지겹게 만들거나 불필요하게 만든다고 주장했다. 그는 안건 토론을 마치면 집단 토론이 아닌 다른 것을 해야 하며, 그렇지 않으면

---

40) https://www.economist.com/news/1955/11/19/parkinsons-law

문제 해결을 위한 토론이 아니라 토론을 위한 토론을 하면서 토론의 가치가 비실용적으로 변질된다고 했다.

두 번째는 사소함의 법칙에 대해 말했다. 여러 중요 안건 중에 사소한 것은 지나치게 오래 토론하고, 정말 중요한 것은 시간을 얼마 쓰지 못한 채 엉겁결에 넘어가는 일이 비일비재하다고 했다. 즉, 안건의 중요성에 할애하는 시간이 반비례하는 현상을 지적했다. 여러 회의록을 분석해보면 이러한 현상이 자주 발생한다는 것을 확인할 수 있다. 그가 대표적인 예로 제시했던 것이 핵발전소 설립 회의였다. 핵발전소의 엔진에 관한 토의는 시간에 쫓겨 불과 30분밖에 못 했는데, 그 전에 핵발전소 설립 시 직원들의 자전거 보관소 설치에 관한 토의는 한 시간 넘게 했다. 결국 이 회의는 핵발전소의 가장 중요한 안건을 심도 있게 다루는 데는 실패했고, 마치 자전거 보관소를 정하는 회의로 전락했다.

실제로 사소한 것을 토의하다 중요한 주제를 다루지 못하고 끝나는, 혹은 시간에 쫓겨 충분한 검토 없이 결정하거나, 결정을 소수에 넘기는 경험이 꽤 있을 것이다. 중요한 주제에 집중하는 회의 기술이 필요하다.

집단 토론 이후의 의사 결정

집단 토론 이후의 의사 결정 방법이 투표만 있는 것이 아니다. 의사 결정 방식은 사실 여러 방식이 있다. 의사 결정 방식으로 위임, 평균 결정, 투표, 합의, 무작위 선택과 같은 다섯 가지가 대표적이다. 드물게 진보적 학교나 시민 단체 등에서 자유 선택과 같은 방식으로 의사 결정하는 경우도 있다.

첫째, 위임은 가장 보수적인 방식이라 할 수 있는데, 학생들이 교사에게 위임하거나 학생들이 다른 전문가에게 결정을 맡기는 것이다. 학생들의 토론 내용이나 결과를 전달할 수는 있지만 결정은 교사나 전문가가 하는 방식이다.

둘째, 평균 결정은 각 성원들이 자기 결정을 모두 한 이후에 그 결과로 형성된 평균값을 정하고, 평균의 범위 내에서 수용하는 범위를 정해서 실행하는 것이다.

셋째, 투표에 의한 결정이다. 다수결의 범위는 토론 참가자들이 정할 수 있다. 과반수 이상의 다수결, 2/3 이상의 다수결 등으로 정하는 범위는 안건의 중요성에 비례해서 회의 참가자들이 정한다.

넷째, 합의는 참가자 전원의 의견이 일치하는 것을 말한다. 합의에 도달할 때까지 한 번 혹은 여러 번의 토의와 진행 과정을 거치는 방법이다.

다섯째, 무작위 선택은 특정한 방식의 무작위 선택 방법 예를 들자면 동전 던지기, 컴퓨터 프로그램의 숫자 돌리기 등을 정하고 그 결정에 따르는 것이다.

여섯째, 자유 선택은 각자의 선택에 대해 충분히 토의하고 최대한 설득하고 토론하지만 최종 선택은 각자 선택한 방식대로 실행하고 책임은 스스로 지는 것을 말한다.

학급에서 토론하기로 한 주제나 안건을 어떤 의사 결정 방식으로 다룰 것인지에 관해 우리는 거의 '과반수 다수결'이 만병통치 처방인 것으로, 이것 외에는 다른 의사 결정 방식이 없는 것처럼 지내오다시피 했다. 하지만 주제나 안건에 따라 다른 의사 결정 방식이 있을 수 있고, 다수결 방식도 비율의 차이를 둘 수 있다.

사안의 경중에 대한 심사숙고 자체가 의사 결정 방식에도 영향을 미칠 것이고, 의사 결정하기 전 집단 토론의 방식에도 영향을 미칠 것이다. 의료계와 사회복지 계통에서는 조금 더 성숙하고 성찰적 결정, 그리고 의사소통을 충분히 하고 결정을 내리기 위해 '공유 의사 결정(shared decision making)' 모델을 적극적으로 활용하고 있다. 하지만 이 공유 의사 결정 방식은 보통 한 가족 단위, 한 소집단 단위인 경우가 많고 한 학급 단위처럼 대집단 단위에서 시행한 사례는 많지 않다.

학급 집단의 민주적 운영에 대한 성찰과 도전을 위해 일부 선생님들은 합의제 의사 결정으로 학급 운영에 도전해보기도 하고, 합의제가 아닌 경우 자유 선택, 소집단 배려제를 운영해보기도 한다. 주로 대안학교 혹은 혁신학교와 같은 소규모 학교에서 시도해 왔다.

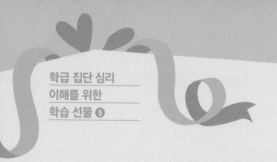

방관자 효과 /
투표하지 않는 학교

김현수

방관자 효과, 집단에 있으면 사람들은 왜 더 나서지 않게 되는가?

'1964년 뉴욕시 퀸즈에서 캐서린 제노비츠가 노상에서 살해되었다. 당시 살해 장면을 목격한 사람이 38명이나 되었는데 아무도 돕지 않았다. 전화로 신고한 사람은 한 명 있었다.'

사회심리학에서 방관자 현상을 설명할 때 흔히 인용하는 캐서린 제노비츠 사건에서, 많은 시민들은 38명의 목격자를 모두 방관자로 비난했다.

사회심리학 연구자인 라따네와 다알리(Latane & Darley)는 과연 이런 상황이 왜 발생하는지 알기 위해 새로운 실험 상황을 만들고 사람들의 심리를 알아보고자 했다.

재난을 암시하는 특정한 실험 상황을 만들고 연기를 하도록 권유받은 피실험자와 상황을 모르는 피실험자가 재난이 발생했을 때 도와주는 행위가 어떻게 나타나는지 알아보았다.

실험 결과 집단이 위험에 노출되었을 때와 소수가 위험에 노출되었을 때 사람들의 대처 행동이 다르게 나타났다. 즉 혼자 있을 때와 집단 속에 있을 때 사람들은 다르게 행동한다는 것을 알게 되었다. 그렇다면 집단 속에 있을 때 사람들은 혼자 있을 때보다 돕는 행동을 적극적으로 하지 않았을까?

크게 3가지 이유로 사람들은 설명했다.

첫째, 다른 사람들이 도와주겠지 하면서 모두 나서기를 주저했다는 것이다.

둘째, 규범적 영향, 혹은 사회 문화적 영향으로 모두 눈치를 보면서 주저했다는 것이다(젊은 여인이 난처했을 때, 젊은 남자가 나서면 오해를 살 수 있다거나 혹은 유부남이 나서기 어렵다거나 등등).

셋째, 혼자 있을 때에 비해 집단에 속할 때 사람들은 책임감을 확실히 적게 느끼는 책임감 분산 현상이 일어났다.

여러 사람이 있어도, 누군가 먼저 나서고, 규범보다 생명을 고려하고, 책임을 강조하는 사람이 있거나 누가 이를 주장하면 사람들의 방관자 효과는 줄어들 수 있다.

학생들이 학급에서 특정한 도움을 주지 못하고 있을 때도 이런 효과들의 영향을 받을 수 있다. 가르쳐주어야 극복할 수 있다.

투표하지 않는 학교, 40년간 전체 투표를 안 한 생나제르 학교

학급 민주주의를 시도하고 추진하는 해외 대안 학교들 중에서 프랑스의 생나제르자주학교는 학교 모든 구성원의 의견을 존중하고 참여 극대화를 위해 투표 방법을 사용하지 않고, 특히 다수결 제도를 시행하지 않는다고 한다.

1984년에 개교한 프랑스 공립형 대안 학교, 실험 학교인 이 학교는 개교 당시 주도자였던 교사 집단이 학교 운영의 특색을 다수결에 기초한 의사 결정을 하지 않고 합의 혹은 자유 선택에 기초한 학교로 운영하는 전통을 강조했고, 현재까지 전통을 지켜오고 있다고 한다.

어떤 분들은 상상하기 어려운 제도라고 할 수도 있는데, 그들은 다수결을 다수의 소수에 대한 횡포라고 생각하고, 의제나 학교의 사안들에 대한 일치를 바라지 않는다고 한다.

일치나 합의가 어쩌면 현실에서는 강요나 강압일 수 있고, 상상으로서는 불가능한 것이기 때문이라고 한다.

3. 학급 모두가 잘못된 결정을 내렸다, 집단 사고와 집단 지성의 차이

김현수

【 34번째 지혜 】
집단은 잘못된 의사 결정을 내리기 쉽다

학급이 똘똘 뭉쳐서 혹은 교사회가 단합해서 잘못된 결정을 내렸다

> "학급 성원들이 똘똘 뭉쳐서 원 팀이라는 기분으로 토론을 잘해서 방안을 정했고, 실행을 했지만 완전한 차오였어요. 다른 반 아이들은 전혀 다른 준비를 하고 있었어요. 그래서 우리 반만 가장 동떨어진 발표를 준비한 셈이 되어버렸지요. 어떻게 이런 일이 일어났는지 모르겠어요."

예전에 한 선생님과 나누었던 대화다. 응집된 반 구성원들의 패기에 놀라서 아이들의 방안을 지지해주고 따라갔지만 완전한 실패였다. 교사가 놀란 것은 학생들의 정보에 대한 확신과 이기고 싶어 하는 열정을 고려하면 이런 결과를 낼 리가 없었다는 점이다.

왜 이렇게 되었을까? 왜 이렇게 잘못된 의사 결정을 내리게 되었을까? 집단 지성이 이런 낭패로 나타날 수도 있을까?

일단, 이런 현상은 적지 않고, 이런 경우 '집단 지성'이라는 용어를 사용하지 않고, '집단 사고(groupthink)'라는 용어를 사용한다.

집단 사고는 어빙 재니스(Irving Janis)가 응집력이 강한 집단 성원들에 의해 현실성을 갖고 평가하려는 동기 없이 생겨난 사고, 즉 너무 한편으로 치우친 검토 없는 사고라고 정의했다.[41] 케네디 대통령의 쿠바 침공을 분석의 소재로 삼아 더 유명해진 개념이다. 당시 세계에서 가장 훌륭한 내각이라 할 수 있는 케네디의 참모들이 의사 결정을 통해 내린 바보스런 결정인 쿠바 침공이 가장 전형적인 집단 사고의 예라고 설명했다.

잘못된 단체 행동이나 단체 의사 결정 뒤에 집단 사고가 있는 경우가 많다. 집단 사고가 나타나기 쉬운 상태는 집단을 과대평가할 때, 집단이 외부에 개방적이지 않고 닫힌 마음의 상태일 때 그리고 서로가 무언가 일치하고 단합해야 한다는 압력을 받고 있을 때라고 한다.

---

41) Groupthink: psychological studies of policy decisions and fiascoes, Janis, Irving L., Houghton Mifflin, 1982.

【 35번째 지혜 】
집단이 한 의견에 너무 빠르게 동조하고
특정한 행동을 빨리 하자고 할 때,
집단 사고인지 점검해보아야 한다

교사 집단은 언제 집단 사고의 유혹에 쉽게 빠지는가?

학교에서 집단 사고가 나타나기 쉬운 때는 언제일까? 집단 사고 이론가들은 학교도 집단 사고가 자주 등장할 수 있는 곳 중 하나라고 한다.

- 교사 집단이 학부모 집단, 학생 집단, 혹은 관료 집단에 비해 옳다고 여길 때
- 특정한 학생을 징계해서 학교에 나오지 못하게 하고 싶은 마음을 가진 교사들끼리 모였을 때
- 교육적 이상이 높은 교사들이 모여서 만장일치에 가까운 의견에 도달하기를 바랄 때
- 갈등 중인 업무를 줄이고자 할 때

집단 사고는 응집이 높은 집단에서 더 잘 일어나는 경향이 있다고 한다. 혹은 응집이 높은 사안을 갖고 있는 집단에서 잘 일어나고, 집단의 구조적 결함이 있을 때도 잘 일어날 수 있다고 한다.

집단 사고는 피해 의식이 높거나 혹은 집착적이거나 조바심이 높은 집단이 낮은 자존감의 통제성 리더, 즉 빨리 성공하고 싶거나, 빨리 유명해지고 싶은 리더가 우선적으로 선동하고 결과를 성급하게 내려

고 하는 상황이 결합될 때 가장 잘 발생한다고 한다.

'뜻이 맞는 사람들이 모여서 빨리 결정합시다!'라는 말을 하는 것이 아무 문제가 없어 보이지만, 이 말은 상당히 위험한 말이다. 집단 사고의 위험성이 내포된 말이다.

【 36번째 지혜 】

학생들의 다양한 의견을 듣고자 한다면
선생님 의견은 나중에 말해야 한다

학급 집단 토론의 결정, 어떻게 집단 사고를 피할 수 있는가?

모든 조급함이 집단행동 착오의 근간이 될 수 있다. 실행력이 미약해서는 안 되겠지만, 집단 사고의 예방을 위해서도 조급한 합의를 지양해야 하고, 오해나 잘못된 정보나 지나친 판단이 없는지 점검해야 한다. 최악의 경우 어떤 일이 일어날 수 있는지도 대비해야 한다. 한마디로 신중하고 여러 면을 점검해보고 결정한 후 실천하면 된다.

쿠바 침공이라는 엄청난 오류를 저지른 케네디 대통령이 그 후에도 존경받는 이유는 쿠바 침공과 같은 실수를 또다시 저지르지 않았기 때문이다. 그는 쿠바 침공 당시의 의사 결정 과정, 집행 과정을 분석하고 새로운 의사소통 방안을 결정했다.

즉 자신의 회의 참석 횟수 및 발언 횟수를 주변의 조언에 따라 조절했고, 의사소통 과정에서 의무적으로 근거 있는 반대 의견을 제시하는 레드팀, 악마의 변호인 제도를 도입하고 활용하는 것에 적극적으로 동의했다. 더불어 모든 가능성을 설정하고 내각들이 찬반 토론을

하는 등의 새로운 시도를 통해 오류를 최소화하는 의사소통 방안
을 실행했다.

【 37번째 지혜 】
학생들이 서로 협력하면서 다른 사람이 잘 할 수 있도록
돕는 분위기에 충실할 때 집단 지성이 꽃피고
교사는 이런 분위기를 만드는데 헌신해야 한다

학급을 집단 지성의 정원으로 만들 수 있는 방법 1

캐스 R. 선스타인(Cass R. Sunstein)이 저술한 〈Wiser〉라는 책에서
는 집단이 집단 지성(Collective Intelligence)을 가지려면 다음 네
가지를 꾸준히 실천해야 한다고 했다.[42]

> **집단이 현명해지는 간단한 비결**
> 1) 집단의 리더가 말을 아낀다.
> 2) 집단 구성원이 각각 자신의 특정한 역할을 맡고 이를 잘 수행하고 이에 대한 모
> 니터링을 잘 받는다.
> 3) 현명한 집단은 신중하고 예의바른 반대 의견팀(Red team)을 운영한다.
> 4) Team player의 정의를 새롭게 한다(서로 협력하면서 상대방이 잘할수록 돕는
> 다) : '다른 친구가 잘할 수 있도록 돕는 사람이 진짜 친구다' 혹은 '리더가 될 자
> 격이 있다' 이런 말을 엄청 강조한다.

---

42) 와이저 - 똑똑한 조직은 어떻게 움직이는가, 캐스 R. 선스타인, 리드 헤이스티 지음,
위즈덤하우스, 2015.

학생들이 함께 지내는 것을 좋아하는 문화가 형성된 학급이
집단 지성을 발휘할 수 있다

학급을 집단 지성의 정원으로 만들 수 있는 방법 2

학급이 좋은 분위기에서 좋은 일이 반복적으로 많이 일어나는 것 또한 중요하고, 성공하는 경험이 쌓이고 서로를 나누는 경험을 축적해 가는 것 또한 중요하다.

이 과정에서 학급이 함께 놀고, 먹고, 즐기는 문화를 갖는 것은 집단 지성 형성에 매우 중요하다. 학급의 성과를 결정짓는 것은 무엇보다 학급 구성원들 간의 친근감, 사교성 정도였다.

함께 어울려 지내기를 얼마나 좋아하는가를 나타내는 선호도가 성공적인 학급 운영의 유익한 단초를 제공한다. 그리고 함께 어울려 일하는 것을 좋아하는 학급이 더 좋은 성적 혹은 결과를 낸다. 혼자만의 성과를 내는 것이 아니라 집단 전체를 챙기면서 좋은 결과를 만든다.

집단 지성이 발휘될 수 있는 환경은 재미있고 편안하게 신뢰감을 갖고 서로 나누며 마음껏 공부하고 일하며 지낼 수 있는 환경이다.

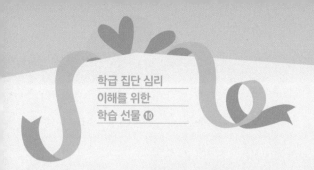

학급 운영 실패의 4가지 흐름 /
집단 지성의 구성 요소들

김현수

학급 운영 실패의 4가지 흐름

1) 첫 번째 : 초기 발언에 대한 동조(폭포수 효과)

  - 선생님만 말하고 있다.

  - 선생님이 있는 동안에는 아무도 말하지 않는다.

2) 두 번째 : 리더 집단에서 오류를 확대(집단 사고)

  - 선생님이 자리를 비우면, 집단을 이끄는 몇몇만 이야기한다.

  - 그런데 그 몇몇은 선생님의 오류를 확대한다.

  - 선생님을 반대하거나 혹은 옹호하거나 어떤 식이든 본인 또는 소수 집단의
    잘못된 판단으로 전체를 잘못된 방향으로 이끈다.

3) 세 번째 : 학급의 분열, 극단화

- 학급은 내부적으로 분열되고 극단화된다.

- 학급 내부는 편하지 않고 대립한다.

- 상당수 학급 구성원들은 교실이 불편하고 학급 일이 싫다.

- 일체의 사적 모임이나 사교적 모임이 없다.

4) 네 번째 : 정보의 편중(확증 편향)

- 학급에서 나오는 이야기가 극단적이며, 근거가 없다.

- 믿을 만한 이야기가 무엇인지 모르겠다.

- 자신들이 믿을 만한 단서에 의해 이야기하는 경향이 크다.

- 이야기하기가 꺼려진다.

- 일부 확신에 찬 아이들만 믿을 수 없는 이야기로 떠든다.

【 39번째 지혜 】

좋은 의사 결정은 좋은 의사 결정 프로세스에서 나온다

집단 지성의 구성 요소들

MIT 집단지성센터에서는 '다양한 유형의 지적, 사회적 문제에 대해 집단의 문제 해결 능력을 평가하는 일반적인 방법이 과연 존재하느냐?'라는 과제를 꾸준히 연구하고 실험하면서 이와 관련된 인자를 'C인자'라고 부르고 있다. 집단지성센터는 2~5명의 소집단을 대상으로 여러 세트의 실험을 통해 이 인자의 구성 요소를 밝히기 위해 노력하고 있다.

집단 지성 발휘 관련 요소 중에는 의사 결정 프로세스와 관련 있는 요소가 많다. 집단 지성이 잘 발휘되려면 의사소통의 지각, 형식, 과정, 환경과 관련된 요소들이 좋아야 한다. 지식의 파이프라인이 잘 구축되어서 연결과 소통, 교환과 이동이 자유로워야 집단 지성 구축에 유리하다.

프로세스를 읽고 단계의 전후를 구축하고 시간의 흐름이나 상황의 흐름을 알고 대비하거나 파악하는 능력이 지식 자체만큼 중요하다는 것을 알 수 있다. 현재 실험 세트는 대략 다음의 요소를 측정하고 있다고 한다.

- 브레인 스토밍   - IQ 검사
- 도덕적 딜레마 답변   - 체커게임

이런 세트 실험에 참가하는 소집단을 통해서 현재까지 얻은 몇 가지 정보를 정리하면

- 집단 구성원의 사회 지각 능력 검사에서 얻은 점수의 평균이 중요하다. 이것이 집단의 수행 성과와 상관성이 높았다. 비언어적 의사소통 능력은 눈빛을 통해 마음 읽기 점수와 깊은 관련이 있다.
- 집단 구성원들의 참여가 다양하고 균형적일수록 성과가 좋다. 참여도가 불균형할수록 성과가 없다.
- 집단 내 여성 구성원의 수는 성과에 긍정적인데, 그것은 사교적이고 상호적이고 의사소통을 더 활발히 하여 작업에 더 긍정적 효과를 발휘하게 했다.

현재까지 MIT 집단지성센터에서의 집단 지성에 기여하는 인자로 파악한 구성 요소들은 다음과 같은 것들이다.

C인자

- 한 눈에 어떤 장소나 상태를 가늠할 수 있는 사회적 정서 능력
- 정서적 온도를 감지하는 능력
- 해피 토크의 이면을 간파하는 능력
- 부족한 무언가를 정확히 채워 넣을 줄 아는 능력
- 참여 및 경청하는 능력을 포함한 사교적 능력
- 각 구성원이 서로 협력하며 함께 성과를 일구어가는 능력

4. 학급의 분열, 관계의 악화

김현수

【 40번째 지혜 】
집단이 나뉘어지면,
"내 편이 무조건 옳다"로 사람들의 생각이 바뀐다

학급 아이들이 갈라섰다

청소년기 아이들에게 누구 편인가 하는 일은 아주 중요하며 그런 일은 흔하게 일어난다. 이분법적 사고방식, 양편으로 갈라서서 싸우는 일은 청소년기 문화 중 하나라고 해도 과언이 아니다.

학급에서 반장 편, 부반장 편, 혹은 담임 편 등으로 진영이 나뉘고 나뉘어진 특정 진영에 가담하면, 그 다음부터는 우리와 그들이 되고, 그 경계는 특별한 순간까지 넘나들기 쉽지 않다.

혹시 '아주 이성적인 아이니까 객관적으로 생각하겠지'라고 생각하고 접근하는 것은 오판이다. 학급에 무관한 상황이 발생하기 전까지 자신의 집단을 이유 없이 옹호하는 집단적 속성은 거의 무의식에 가깝다고 봐도 될 것이다.

이런 특성을 자기 집단 긍정성 혹은 내집단 긍정성이라고 한다. 이 말은 역으로 외부 집단 부정성, 외집단 부정성이 형성된다는 뜻이다. 한마디로 집단이 나뉘면 인간의 인식의 지향성은 그렇게 바뀐다.

학급 안에서의 분열이 일어나거나 혹은 학교 안에서의 분열이 일어나 서로 대립하는 학급이 생겨나면 벌어지는 네 가지 현상은 다음과 같다.

1) 자기 집단 긍정성과 외부 집단 부정성 : 우리 편은 무조건 좋고, 우리 반 아이는 무조건 문제가 없고 남의 편 문제고, 남의 반 아이가 심각하다는 반응을 보인다.

2) 편파적 범주화의 증폭 : 나쁜 일이 생기면 그 원인을 모두 상대편들 탓으로 해석하는 경향이 증폭된다. 모든 불행의 원인을 상대 탓으로 돌린다. '그들이 있어서 불행하고, 행복하려면 그들을 안 봐야 한다'는 식의 발언을 흔히 듣는다.

3) 귀인 오류, 확증 편향의 강화 : 이제 모든 나쁜 일들의 원인도 그들이 제공했고, 틀림없이 그들이 우리의 불행을 혹은 우리의 실패, 혹은 고통을 위해 모든 행동이 조직되었다는 판단으로 확대된다.

4) 집단 증오의 형성 : 결국 정확한 근거 없이 여러 편파적 범주화와 확증 편향과 귀인 오류에 따라 상대방 집단에 대한 집단 증오가 발생한다.

【 41번째 지혜 】
집단 증오가 발생하면 상대방은 악마화되어
결국 싸움이 촉발된다

학급이 분열되면, 아이들은 박해에 시달리고 싸움이 일어나고 만다

아이들 사이에 형성된 집단 증오가 아이들 관계를 민감하게 한다. 그리고 무엇보다 사소한 마찰이나 부딪힘이 뇌관이 되어 결국 교실에서 관계의 다이너마이트가 폭발하게 된다. 이 폭발 속에서 부딪히는 감정은 모두 다 박해받은 자들의 심정이다. 어떻게 이들은 모두 박해받았다고 생각할까?

이 집단 증오가 고려되지 않거나 정제되지 않고 다른 사건과 연계되거나 분노와 연관되어 폭발하면,

집단 증오 발생 → 비인간화 → 악마화 → 공격자화

위의 경로를 밟는 과정은 이미 여러 집단, 과정을 통해 밝혀졌다. 상대방에 대한 비난과 공격성이 투사되어 악마화되어 상대방이 자신들을 공격할 것이라는 두려움이 박해받고 사는 기분을 만들어내고, 그 박해의 감정, 피해 의식이 건드려지면 울분의 싸움이 일어나고야 만다. 이 과정에서 누군가가 희생양이 되기도 하고, 때에 따라 희생양을 찾기도 한다. 그래서 싸움은 피할 수 없게 되고, 희생양을 제단에 바치고서야 끝나게 된다.

싸움을 진정시키고 제3자가 영화의 복잡한 플롯을 풀어가며 설명하듯이 아이들에게 설명하고 또 이해시켜나가면 이들의 대립과 갈등,

분열과 싸움은 사실 사소한 오해와 비난으로 시작되었다는 것이 밝혀진다. 그리고 서로의 어리석음에 대한 자책과 상대방에 대한 화해와 용서가 진행되면 막을 내린다.

하지만 요즘 이렇게 끝나는 경우는 많지 않다. 아이들의 갈등에 더해 부모의 개입, 법률적 개입, 의학적 개입이 복잡하게 연루되면 과거에 봤던 연극이나 영화처럼 끝나지 않는다. 끝을 알 수 없는 다른 형태의 확장된 힘의 대결로 나아가기도 한다.

【 42번째 지혜 】
모든 집단은 과격해질 가능성이 있다

【 43번째 지혜 】
어린이와 청소년도 집단의 보장 속에서
잔혹성을 행사할 수 있다

집단 속 개인은 단지 개인일 때 보다 과격해지기 마련이다

사람들은 집단에 들어가면 왜 더 과격해지는가? 혼자는 못하는 일을 사람들과 어울리면 할 수 있게 되는가?

우리는 혼자서 모험을 떠나기 어렵지만 집단과 함께라면 기꺼이 모험을 떠나는 장면을 무수히 보아왔다. 좋은 일에서도 보아왔고 나쁜 일에서도 보아왔다. 집단은 사람들에게 주는 힘이 있다. 집단에서 무언가를 논의하고 나면 집단에서의 평균보다 높게 혹은 더 다수에 의해 실행되는 집단 극화가 흔하게 발생한다.

물론 집단은 사람을 신중하게 만들기도 하고 보수화하는 경향도 있지만, 어떤 상황에서는 사람을 더 극단적으로 몰아가는 경향도 있다. 평상시 보다 더 극단적 방향으로 가는 이유에 대해 세 가지 가능성을 제시하고 있다.

첫 번째, 사람들은 구성원들과 비교해서 자기 자신이 아닌 집단을 기준으로 삼을 수 있다. 집단의 평균, 혹은 강한 사람들을 기준으로 자신을 생각하여 더 과격해질 수 있다.

두 번째, 사람들이 설득하고 주장하는 바에 흔히 동조하게 되는데, 집단의 사회적 결정은 흔히 더 극단적이거나 과격한 극화된 내용에 동조하도록 만든다.

세 번째, 사람들이 하나로 뭉치고 특정한 정체성이 강조되면 더 강력해지고 극단화되어서 과격해지는 경향이 있다. 특히 의견 일치가 잘 되고, 응집이 높으면 더 극단화가 커지기도 한다.

집단 극화의 과정 속에서 개인의 주체성보다는 사회 정체성이 강화되고, 개인의 작동 방식은 사회 정체성 뒤로 숨겨지기 쉽다.

이럴 때 개인은 집단의 메커니즘에서 주체성을 잃기 쉽고, 평범한 학생이 잔혹한 악인이 되는 기제가 만들어진다.

집단 속에 숨어서 탈개인화가 되면, 자기 의식이 낮아지고, 자신의 정체성이 숨겨지며, 익명성의 느낌 속에서 평소에는 볼 수 없었던 잔혹함이 담긴 행동도 하게 된다.

집단에 대한 맹종을 강요하거나, 개인의 주체성을 인정하지 않는 집단주의 집단이 있으면 이런 경향이 더 강화된다고 한다.

5. 학급 내 갈등과 갈등 해법 찾기

- - - - - -
김현수

♥

【 44번째 지혜 】

갈등을 협력으로 푸는 방식을 가르치고 권면해야
협력이 늘어난다

갈등은 일상이다

갈등은 집단 안에서 필연적으로 발생한다. 학급 내에서 의견이나 주장의 일치란 거의 없으므로, 갈등은 상시적으로 생기는 일이다.

집단 내부의 갈등도 생기고, 집단과 외부의 갈등도 생길 수도 있다.

갈등의 원천은 차이로부터 비롯되고, 이 차이를 두고 개인이나 집단들이 어떻게 해결할 것인가에 따라

- 경쟁
- 분배 갈등
- 권력 갈등

190

- 의사 결정 갈등
- 인간적 갈등으로 달라진다.

사람들은 갈등이 생기면 풀기 어렵다는 선입견이 있는데, 갈등이 생긴다고 해서 모두가 항상 힘든 과정을 겪는 것은 아니다. 갈등을 확인하고 중재를 진행하면서, 협동이나 협상에 의해 쉽게 해결하고 잘 풀리는 경우 또한 많이 있다.

특정한 사안을 두고 사람들은 경쟁할 것인가, 협력할 것인가의 유혹을 동시에 받는 경우가 많다고 한다. 갈등 해결의 두 패러다임의 성과를 비교해보면 많은 연구들은 협력과 협동의 성과가 더 좋은 것으로 보고하고 있다. 경쟁만이 사람들을 동기화하여 더 좋은 성과를 내는 것은 절대 아니다.

경쟁과 협동이 반복되면, 집단 동화가 일어나는데, 경쟁이 많은 곳에서는 경쟁이, 협동이 많은 곳에서는 협동이 더 많이 일어난다.

【 45번째 지혜 】
자주 보고 대화를 나누는 것이 갈등을 줄이는 비결이다

갈등 해결의 원칙은 원래 간단하다

갈등을 해결하는 과정에서 선택되는 전략은 1) 회피, 2) 양보, 3) 투쟁, 4) 협동으로 크게 나눌 수 있다. 어떤 전략을 선택할 것인가는 태도나 관점에 따라 다르다. 여러 단계를 거쳐 갈등을 해결하기 위해서는 토론과 협상이 필요하다. 토론과 협상을 통해 갈등이 줄어들거나 갈등의 본질이 드러나 해결점에 접근할 수 있다.

갈등을 협상으로 유도해서 해결 국면으로 가려면

1) 상황을 이해하려고 더 노력할 수 있는 정보를 제공하고,
2) 오해를 풀 수 있는 자료를 제공하고, 협상의 기회를 알리고,
3) 반복적으로 토론하고 공유하는 과정 자체가 필요하다.

그러나 항상 갈등을 유발하고 유지하면서 경쟁하려는 집단에게 가장 효과적인 것은 응수 전략이다. 즉 협동적으로 대하고 협동을 유도하지만, 경쟁으로 나올 때는 경쟁해주고, 협동으로 나올 때는 협동으로 응수해주는 전략이 경쟁 전략을 그만두게 하는데 가장 효과적인 것으로 나타났다.

학급 내 개인 간 갈등, 집단 간 갈등이 있을 때, 해결책은 위에서 제시한 바대로

1) 자주 보고,
2) 설명하고,
3) 토론하는 것이 갈등의 주기를 촉진한다.

단, 개인적 갈등은 때로 일부 학자는 회피로 해결될 수 있으나 그것이 반드시 나쁜 결과로 나타나지 않는다고도 한다.

【 46번째 지혜 】
대충 해결하는 것은
해결하지 않은 것과 같다

대충 해결하는 것은 큰 도움이 되지 않는다

갈등이 아무리 교육적인 효과가 있다 할지라도 갈등은 집단에게 적을수록 좋다. 즉 갈등이 많으면 모두가 만족도가 떨어지고 힘들다. 또한 갈등의 해결 결과가 아주 좋았어도 그것이 교육적 효과를 상실하면 의미가 사라진다. 무리하게 갈등을 해결하는 것 또한 도움이 되지 않는다.

하버드 갈등 중재 연구팀의 결과는

1) 무리한 갈등의 해결은 도움이 되지 않는다.
2) 원칙적인 해결만 도움이 되고,
3) 과소도 과잉도 새로운 갈등을 불러일으킨다.

갈등 해결을 잘하는 교실이 되기 위해 교사가 할 수 있는 일은 다음과 같다.

1) 경쟁 분위기를 줄여야 갈등이 줄어든다.
   → 협동의 분위기를 증가시킨다.
2) 자주 대화와 토론을 해야 갈등을 유발하는 오해나 편견이 줄어든다.
   → 자주 토론하고 서로 이해하려고 노력한다.

3) 갈등을 유발하는 차이를 줄이려고 노력한다.

→ 다양성을 인정하고, 모두의 차이나 격차를 줄이는 분위기를 조성하고 모두 존중받는다는 느낌을 갖도록 노력한다.

4) 갈등을 성공적으로 해결하려고 노력한다.

→ 아이들끼리 더 성공적으로 오해를 풀고 경쟁을 줄이고, 노력하는 문화를 찾고, 화해의 문화나 수용의 문화가 무엇인지를 찾고 그 문화를 승화시킨다.

6. 학급 세우기 - 민주적 학급 운영

구소희

몇 해 전 학기 초에 전문적 학습 공동체 모임에서 초등학교 2학년 담임선생님이 들려주신 이야기이다. 아이들이 쉬는 시간에 '화장실 다녀와도 돼요?'부터 '창밖을 봐도 돼요?'처럼 당연히 할 수 있는 사소한 행동 하나하나까지 물어본다고 하셨다.

매사 어른들에게 허락을 구하고 확인받아야 하는 평소 아이들의 생활이 고스란히 드러나는 장면이라고 할 수 있다. 이는 비단 초등학교 저학년 교실의 모습만은 아닐 것이다. 학생들의 발달 단계에 따라 구체적인 행동은 다를 수 있지만 스스로 판단해 행동할 수 있는 기회가 부족한 우리 아이들의 삶을 보는 듯하다.

민주적 학급에 대한 여러 이미지

교실에는 저마다 생활환경이 다른 학생들이 모여 있다. 그렇기에 저마다의 시각과 바람이 다를 수 있다. 이러한 교실에서 갈등은 자연스러운 삶의 한 장면일 수 있다. 학급은 아이들의 각기 다른 경험과 배움을 성장의 기회로 만들어 나가기 위해 공부하고 실천하는 공간이어야 한다.

학생들이 온전하게 성장해 나가기 위해 스스로 판단하고 행동할 수 있는 일상의 경험들이 켜켜이 쌓여 나가야 할 것이다. 이를 위해서 학교와 학급의 민주적인 문화가 정착되는 것이 우선되어야한다. 교사들이 '민주적 학급'을 어떻게 인식하고 있는지 알아보기 위해서 설문 조사를 실시했다(2020. 1. 28～2. 1. 인천민주시민교육 교사 연수 참여 교사 및 교사 연구회 참여 교사 대상). 민주적인 학급을 생각할 때 긍정적인 모습과 부정적인 모습으로 떠오르는 것들은 무엇인지 물어보고 답변한 내용을 워드 클라우드로 정리했다.

교사들은 민주적인 학급의 긍정적인 모습에 대하여 '학생들이 중심이 되어 자율적으로 참여하는 모습, 대화하고 소통하며 의사 결정을 하는 모습, 서로 존중하고 협력하여 학급에 대한 소속감을 높여가는 모습' 등을 꼽았다. 구성원 상호 간의 존중과 자율적인 참여, 그리고 소통을 주요 키워드로 언급한 것이다.

민주적 학급의 긍정적인 모습

민주적 학급의 부정적인 모습

부정적인 모습으로는 우선 학급에 대해서는 다양한 의견이 제시되지만 해결책을 찾는데 시간이 많이 걸려 비효율적이라는 것, 충분한 대화나 토론 과정 없이 다수결로 의사 결정함으로써 결국 소수 의견을 무시하게 된다는 것 등을 언급했다. 교사에 대해서는 민주성을 표방하면서도 학생들의 의견만 듣고 판단하는 교사 유형의 전형적인 특징인 '민주적인 척' 하는 모습을, 학생들에 대해서는 자유는 누리지만 정작 본인의 책무는 하지 않는 '무질서하고 무책임한 모습' 등을 언급했다.

알고 있지만, 경험하지 못한 민주성

필자는 학생자치 담당 부서의 부장과 담임교사로서 20년 넘게 학생들을 만나왔다. 그간 만났던 대부분의 학생들은 스스로 민주적이라고 생각하고 있었다. 하지만 실제 삶에서 경험은 부족해 보였다. 공동생활에서 생기는 여러 갈등이나 문제를 회의에서 다룰 때 생각보다 많은 학생들이 처벌 중심으로 접근하는 모습을 자주 보기도 했다. 물론 이는 학생들을 지도하는 필자를 포함한 교사들에게도 해당하는 부분이기도 하다. 교과서에서 개념적으로 만나는 민주성은 익숙하지만 실제로 이것이 우리의 삶에서 어떤 모습으로 작동하는지에 대한 경험은 부족한 실정이다.

민주성은 타고나는 것이 아니라 적절한 환경 속에서 삶의 경험으로, 또는 지속적인 학습 활동을 통해 익혀나가야 한다. 학생들이 생활 속에서 문제를 발견하고 이를 깊게 생각한 후 토론하며 해결해 나가는 경험이 학교의 일상이 되려면 우선 학급이 민주적으로 작동해야 할 것이다.

민주적 학급이란 무엇일까?

교실은 저마다 다른 삶의 경험과 욕구를 가지고 있는 아이들이 만나는 공간이다. 그렇기에 학급의 모습은 정지 화면이 아니다. 저마다의 목소리를 내고, 갈등과 다툼이 있으며, 이를 해결해 나가는 역동적인 공간이다.

'민주적 학급'과 '민주 시민'이라는 지향을 이야기할 때 '공중(The Public)으로서의 시민상'을 먼저 언급한다. 우리는 공중으로서의 시민을 자기의 삶과 이에 영향을 미치는 사회적 행동의 결과가 갖는 의미를 알고 이를 위해 적극적으로 참여하는 시민이라고 말한다. 이를 학급에 적용하면 우리 모두의 이익이 나의 이익과 연결되어 있다는 것을 알고 적극적으로 참여하는 학급 구성원이 될 것이다.

학급은 아이들이 살아가는 작은 사회다. 따라서 아이들은 개인적 책임이나 의무뿐 아니라 자기가 속한 사람들과의 관계와 구조, 환경을 탐구해 학급을 하나의 공동체로 바라보는 관점을 키워야 한다.

민주적 학급은 아래와 같은 신념을 공유할 때 성장할 수 있다.

- 서로의 다름을 인정하는 것
- 개인과 공동체를 모두 존중하는 것
- 다름을 드러내고 대화하며 합의를 찾아가는 것

함께 추구하는 가치와 지향이 있고, 존중·배려·협력을 실천하며, 더불어 성장해 나가는 학급을 우리는 민주적인 학급이라고 부를 수 있을 것이다.

초두 효과, 첫 단추가 중요하다

A학생	B학생
똑똑하다	**질투심이 많다**
성실하다	고집스럽다
비판적이다	비판적이다
고집스럽다	성실하다
질투심이 많다	똑똑하다

제시된 단어를 보며 A학생과 B학생에 대한 이미지를 떠올려보자. 누가 더 긍정적인 이미지로 그려지는가? 대부분 A를 더 긍정적인 사람으로 평가한다. 그러나 잘 살펴보면 같은 단어가 순서만 다르게 나열되어 있다. 이렇듯 같은 사람이라도 처음에 어떤 이미지를 접하는가에 따라 첫인상이 달라진다.

이것은 솔로몬 애쉬의 '초두 효과' 실험이다. 사람들은 첫인상을 매우 강렬하게 느끼며 오래 기억한다. 그렇기 때문에 첫인상을 바꾸려면 꽤 많은 시간과 노력이 필요하다. 학기 초, 학급 구성원인 교사와 학생들 상호 간에 긍정적인 첫인상이 중요하다. 첫 만남에서 좋은 인상을 가질 수 있도록 새 학기 학급 세우기 활동을 미리 준비해야 하는 이유가 여기에 있다.

새 학기, 학급 세우기 활동

학급 운영을 잘하는 교사들은 대개 새 학기 첫 날, 첫 주, 첫 달에 학급의 성장을 위한 활동 계획을 준비한다. 새 학기 첫 달은 아래와 같은 목표를 갖고 활동할 필요가 있다.

학급 세우기 활동	1) 서로 친해지기
	2) 의사소통 방법 익히기
	3) 바라는 학급의 모습 공유하기
	4) 존중하는 학급의 약속 만들기
	5) 학급 회의 방법 익히기

좋은 관계를 형성하기 위한 활동은 일 년 내내 지속적으로 해나가야 하지만 특히 학기 초가 중요하다. 의사소통 방법을 익히는 것은 수업 내용과 방법을 익히는 것보다 우선한다. 학생들의 일상적인 삶 등 학교생활 전반에 걸쳐 의사소통 방법을 배우고 경험할 수 있도록 고려해야 한다. 또한 학급 회의는 학생들이 서로의 다름을 존중하고 적절한 의사소통 방법을 익혀 서로의 의견을 조율해 나갈 수 있기에 매우 중요한 부분이라고 할 수 있다.

새 학기 첫 주에 학생들과 함께할 수 있는 활동을 소개해 보았다. 상황에 따라 하루에 1~3가지를 묶어서 하기도 하고 순서를 바꿔서 진행하기도 한다.

새 학기 첫 주 학생들과 할 수 있는 활동

	활동 목록
1일 차	· 자기소개(진진가, 인터뷰, 짝 소개 활동 등) · 공동체 놀이 · 단체 사진 찍기
2일 차	· 성장을 위한 계획 세우기(잘 해온 것, 노력할 것) · 올 한 해 동안 이루고 싶은 목록 정하기 · 개인 사진 찍기
3일 차	· 바라는 친구의 모습 　(친해지고 싶은 친구 VS 멀리하고 싶은 친구)
4일 차	· 의사소통의 기술 익히기 · 경청의 약속 만들기
5일 차	· 학급 회의 방법 익히기 · 우리가 바라는 학급의 모습 토의하기 · 서로 존중하는 학급 약속 만들기(이렇게 말해요, 이렇게 행동해요)

위의 목록은 편의상 첫 주 동안 할 수 있도록 5일로 나누었으나 학급 상황이나 교육 과정 운영에 따라 활동을 재구성해 새 학기 1~3주 사이에 나누어 진행해도 좋다.

1일 차 활동

첫날은 좋은 인상 형성을 위해 소개하기와 공동체 놀이 활동을 중심으로 진행한다.

1) 소개하기 활동

- 짝 활동 : 나의 명함 만들어 짝에게 자기소개하기
- 모둠 활동 : 모둠이 모여 자신의 짝을 친구들에게 소개하기

2) 공동체 놀이

- 이름 외우기 놀이 : '시장에 가면' 놀이를 '○반에 가면'으로 변형하여 이름 익히기 (미션에 성공하면 함께 모여 단체 사진을 찍고 마무리)
- 자리 바꾸기 놀이 : 큰 원에서 친구가 자신과 관련된 것을 지시어로 말하면(예 : 아침에 빵 먹고 온 사람, 이름에 받침 없는 사람 등), 해당 되는 사람들끼리 자리 바꾸기
- 4인 협력 놀이 : 4명이 원을 만들고 풍선 오래 띄우기

2일 차 활동

앞으로 성장을 위한 계획을 세우는 시간을 갖는다.

1) 수직선 활동

지난 한 해 동안 자신을 돌아보고 잘 해온 점과 더 노력해야 할 점을 붙임쪽지에 써서 칠판의 수직선에 붙이고 비슷한 내용의 친구들이 자기의 경험을 이야기하도록 한다. 활동을 마치고 학생들은 자기가 쓴 것을 알림장이나 수첩 맨 앞에 붙이고 주기적으로 함께 점검한다.

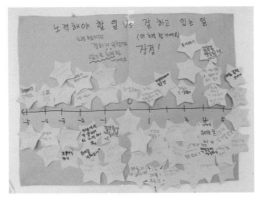

잘 해온 것과 성장을 위해 더 노력할 것

2) 올해 이루고 싶은 것 '목표 정하기'

올 한 해 이루고 싶은 것을 색깔 있는 A4 종이 1/2에 적도록 한다. 목표를 다 쓴 후 다짐하는 마음으로 들고 사진을 찍는다. 학생들이 목표로 적은 종이는 작은 주머니에 모아 1년 동안 학급 회의 할 때 토킹 스틱으로 사용하며 떠올려보도록 한다. 이것은 학년 말에 열어 보고 지난 1년 동안 성장한 모습을 돌아볼 수 있는 자료로 활용할 수 있다.

올해 이루고 싶은 목표

3일 차 활동

'친해지고 싶은 친구와 멀리하고 싶은 친구'를 알아보고 자신은 어떤 친구인지 성찰하는 활동을 진행한다.

1) 친해지고 싶은 친구 VS 멀리하고 싶은 친구[43]

친해지고 싶은 친구와 그렇지 못한 친구는 어떤 모습인지 탐색할 수 있다. 중성적인 이미지의 사람을 그리고 각 신체와 관련해 어떻게 행동하고 말하는지, 긍정적인 모습과 부정적인 모습을 표현할 수 있도록 한다. 이때 주의할 것이 있다. 학생들이 어떤 학생을 특정하지 않도록 이것이 가상의 인물임을 강조할 필요가 있다.

2) 나의 모습 돌아보기 '나는 어떤 친구인가요?'

앞의 활동이 좋아하는 친구와 싫어하는 친구의 특징을 알아보는 것에서 그치는 것이 아니라 나의 이야기가 되기 위해서 활동 마지막에 '나는 친구들에게 어떤 말과 행동을 자주하는지, 나는 어떤 친구인지' 돌아보고 성찰할 수 있는 시간을 가지는 것이 필요하다. 이는 '존중'이라는 가치를 기본으로 학급의 목표 세우기와 약속 만들기에도 영향을 미치게 된다.

친해지고 싶은 친구 vs 멀리하고 싶은 친구

---

43) 학급긍정훈육법, 제인넬슨, 린 로트, 스티브 글렌, 에듀니티, 2014.

4일 차 활동

의사소통 기술을 익히는 활동을 한다.

1) '경청 활동' 의사소통 기술 익히기

의사소통에서 비언어적 표현이 차지하는 비율이 93%에 달한다고 한다 (메라비언의 법칙 The Law of Mehrabian). 학생들과 언어적 표현과 비언어적 표현에 대해 서로 이야기하고 경청의 중요성을 느껴보기 위해 역할극을 한다.

- 무시하기 : 1명이 말하고 다른 사람들이 딴청을 부리기
- 경청하기 : 1명이 말하고 다른 사람들이 경청하기

무시하기 상황과 경청하는 상황을 경험하고 어떤 느낌이 드는지 서로 이야기를 나누고 다른 사람이 말할 때 잘 들어주는 사람들의 모습을 생각하고 경청의 약속을 함께 정한다.

5일 차 활동

그동안 해 왔던 공동체 활동과 의사소통 활동을 바탕으로 학급 회의 방법을 익히고 이를 적용해 본다.

1) 학급 회의 순서 익히기

학급 회의는 원으로 둥글게 앉아 친구들과 만나는 시간이다. 먼저 책상을 교실 가장자리로 치우고 '빠르고, 안전하고, 조용하게' 의자만 가지고 커다란 원을 만든다. 경우에 따라 바닥을 깨끗이 청소하

고 바닥에 그냥 앉기도 한다. 작은 등산용 방석을 30개 정도 구입해서 사용할 수도 있다.

학급 회의의 방식은 매우 다양하다. 주제와 안건에 따라 순서와 방법을 탄력적으로 운영할 수 있다. 여기서는 PDC 학급 회의를 기반으로 회복적 생활 교육 학급 평화 회의 방식을 절충했다.

〈학급 회의 순서〉
① 원으로 만들기
② 공동체 놀이하기
③ 감사와 사과 나누기
④ 안건 설명하기
⑤ 문제 상황에 관한 역할극 하기
⑥ 해결 방법 모으기
⑦ 해결 방법을 적용한 역할극 하기
⑧ 느낌과 감사 나누기

2) 학급 목표 정하기

학생들이 우리 반은 어떤 반이 되면 좋겠는지 모둠별로 이야기 나누고 이것을 각자 붙임쪽지에 써서 칠판에 붙인다. 교사는 학생들이 붙이는 내용을 비슷한 분야끼리 묶고 정리하여 주요 가치를 3개 내외로 정리한다. 이것으로 학급의 이름과 목표를 정하게 된다. 온라인 수업 상황에서는 패들렛과 멘티미터로 미리 조사하여 생각을 열고 대면 수업에서 직접 붙임쪽지에 적어보도록 할 수 있다.

학급 목표 정하기

위의 사진에서처럼 '평화, 협력, 존중'이 가장 많이 나왔을 경우 아래와 같이 정리할 수 있다.

- 학급 이름 : 우리 반은 존중하고 협력하는 평화 반입니다.
- 학급 목표 : 서로 존중하고 돕는 평화로운 반을 만들겠습니다.

3) 학급 약속 만들기

학급의 목표가 정해지면 구체적으로 어떻게 그것을 실현시켜 나갈지 학급 약속으로 정한다. 막연한 규칙을 만드는 것이 아니라 '이렇게 말해요, 이렇게 행동해요'를 주제어로 해서 T차트로 정리한다. 어떻게 말하고 행동할 것인지 살펴보면 목표로 해야 하는 행동을 구체적으로 표현할 수 있다.

이렇게 해요

학급의 약속

약속을 정할 때 주의할 것은 '소리 지르지 않기' 보다 '적당한 목소리로 말하기'로 긍정적인 표현을 사용하는 것이 바람직한 행동을 구체적으로 보여줄 수 있다. '적당한'이라는 표현이 모호할 수 있는데, 목소리 크기를 0~5까지의 숫자를 연결해 설명할 수 있다.

모둠에서 토의를 통해 '우리가 바라는 학급'을 이루기 위한 약속을 정리한다. 이를 갤러리 워크 활동으로 우리 학급의 약속으로 가장 적합하다고 생각한 것에 스티커를 붙이도록 하고 스티커를 가장 많이 받은 것을 학급 약속의 후보로 정한다. 또, 스티커를 많이 받지 못했지만 중요한 내용인데 빠진 것은 학생들의 추천을 통해서 추가하여 학급 약속으로 정한다.

만일 학급 약속에 문제가 보이면 학급 회의 안건으로 상정해서 약속을 처음 만들었던 것처럼 다시 수정할 수 있다. '악법도 법이다'라며 목숨을 바친 소크라테스의 진정한 의미는 악법을 꼭 지키라는 뜻이 아니라 '악법이 있다면 공동체의 논의로 바꾸어가야 한다'는 것을 의미한다고 알려줄 필요가 있다.

지금까지 민주적인 학급 만들기, 학기 초 학급 세우기 활동에 대해 살펴보았다. 학급은 만나는 첫 날부터 성장하기 시작한다. 첫인상은 생각보다 강하고 이후에도 많은 영향을 미치므로 새 학기의 첫 만남을 어떻게 가질지 미리 계획하고 준비해야 한다.

7. 학급에서의 토론 만들어가기

하상범

학생들과 학급 회의에서 체험 학습 장소를 결정하기로 했다. 일정과 예산을 고려해 미리 선정한 다섯 개 후보지 가운데 하나를 선택하도록 했다. 학생들에게 후보지 다섯 곳을 모두 알려주고 선택지에 대한 의견을 제시하라고 했으나, 별다른 반응이 없었다. 며칠 뒤 다시 학급 회의를 열어 의견 수렴을 했고, 이때도 별다른 이견이 없었다. 그래서 거수로 후보지에 대한 의견을 모았고, 표를 가장 많이 받은 곳을 체험 학습 장소로 결정했다. 문제는 학생 누구도 이 결과에 만족하지 않았다는 점이다. 절차대로 했으나, 아무도 동의하지 않는 결과가 나온 셈이다.

'집단 사고'는 집단 내에서 의견이 억압되는 사고 경향을 일컫는 말이다. 즉, 다수 의견에 밀려 소수의 여러 입장이 제대로 논의되지 않는 것을 의미한다. 다수가 찬성하는 의제에 대해 반대 발언을 하는 게 어렵다. 말할 기회를 부여해도 분위기상 위축되어 입이 떨어지지 않는다. 여기에는 권력이나 권위가 높은 사람의 위력에 밀려 특정 의견을 따를 수밖에 없는 것도 포함된다. 학급 회의는 집단적 활동이고, 집단 사고는 나타나게 마련이다. 이를 제어해야 구성원들이 동의하는 타당한 의견이 나온다.

학급 회의에서의 구체적인 의제

교과 수업 시간에 교사가 하는 질문에 학생들이 답을 하지 않을 때가 있다. 그 원인은 대부분 교사가 던진 질문에 있다. 대부분의 학생이 알지 못하는 지식을 물었거나, 어려운 용어로 무슨 말인지조차 알수 없는 질문을 던졌거나, 어디서부터 답을 해야 할지 난처하게 만든복합 질문을 했을 때다. 학생들이 답할 수 없는 질문을 던져놓고 답하라고 요구한 셈이다.

학급 회의에서 의제를 어떻게 설정하느냐에 따라 학생들의 참여도는달라진다. 만약 의제가 어렵다면, 학생들은 회의에 참여하지 못한다. 학생들에게 정보가 제공되지 않았을 경우에도 학생들은 발언하기 어려워한다. 아는 게 없으니, 무엇을 어떻게 해야 할지 모르는 것이다. 모르는 학생은 아예 말을 못할 테고, 나름의 생각을 품은 학생조차비난받을까 두려워 쉽게 나서지 못한다. 이럴 경우 뛰어난 학생이나교사의 발언에 그대로 동조하려는 경향이 나타난다.

학급 회의에서는 의제를 이해할 수 있도록 구체적 문제를 다루며, 관련 정보를 제공해야 한다. 즉, 일상생활과 밀접하게 연결되어 있고, 회의 결과를 실생활에 실제로 적용할 수 있는 의제가 좋다. 이는 학생들에게 회의 참여 동기를 자극하며, 남의 의견에 동조하려는 태도를억제하게 만드는 효과로 이어진다.

소그룹으로 논의

대부분 학생들은 다수 앞에서 말하기 어려워한다. 생각을 정리해 이를 적절한 언어로 표현하고, 모든 학생들에게 들릴 정도의 목소리 크기와 일정한 톤으로 말하려면 상당한 훈련과 경험이 필요하다. 대개 불안한 표정과 떨리는 목소리를 감추지 못한 채 허둥대다가 제대로 말하지 못하고 발언을 마무리한다. 그렇다고 '돌아가며 말하기' 방법을 학급 회의에 쓰는 것은 좋지 않다. 원으로 둘러 앉아 시계 방향으로 돌아가면서 말하면 순서가 지날수록 답변 내용이 비슷해지고 짧아진다. 앞 사람의 발언이 그 다음 사람의 발언에 영향을 미쳐 순서가 지날수록 영향력이 누적된 결과를 낳는다.

발언자의 심리적 부담을 낮춰주는 방법은 의외로 간단하다. 전체보다 그룹으로 나누어 회의를 진행하는 것이다. 다수 앞에서 말하는 것보다 소수 사람에게 얘기하는 것이 덜 부담스럽다. 목소리를 크게 하지 않더라도, 눈을 마주보며 말을 할 수 있다. 소수의 청자가 발언자에게 집중하고 있어서 발언자는 자기 의견을 비교적 조리 있게 말할 수 있다. 자연스럽게 발언하기 때문에 굳이 돌아가며 말하기 할 필요가 없다. 그룹 회의로 도출된 의견을 전체 회의에서 발언하는 것은 상대적으로 수월하다. 그룹 내에서 검증된 의견일뿐더러, 구성원들이 부담을 서로 나눠지게 된다.

그룹 내에서도 집단 사고가 발생할 수 있다. 학생의 성향에 따라 주장의 강도나 비중이 달라질 수 있기 때문이다. 붙임쪽지를 활용하면 이를 효과적으로 제어할 수 있다. 붙임쪽지에 간단한 글쓰기로 의견을 표현하도록 하는 것이다. 이것으로 주장이 강한 학생을 억제할 수 있다. 이들은 대개 자신의 의견을 관철하고자 확신이 찬 어조로 분위기를 압도하려고 든다. 붙임쪽지를 쓰게 하면, 이런 친구의 영향력을 줄여 목소리가 작거나 소심한 학생들이 자기 의견을 내는 데 도움을 줄 수 있다. 구성원 모두에게 발언할 기회와 의견에 대한 책임을 부여하게 된다. 앞서 체험 학습 장소를 정하려던 학급 회의는 전체 회의 형식으로만 진행했다.

비판을 담당하는 '악마의 변호인'

그렇더라도 다수 의견과 다른 의견을 내는 것은 쉬운 일이 아니다. 회의에서 가장 필요한 일이 가장 어려운 일인 셈이다. 발언 내용에 따라 발언자의 뇌 반응을 살펴본 실험 결과에 따르면, 다수 의견과 동일할 때보다 다를 때 불안과 고통을 담당하는 부위가 활성화되었다. 다수 의견을 비판하는 입장에 서면 감당하기 어려울 정도의 부담을 짊어질 수밖에 없다.

비판 의견을 발언하기 어려운 이유는 관계 측면에 있다. 누군가의 견해를 비판하는 것이 관계를 힘들게 할 수도 있다. 반대로 문제점을 지적받은 학생이 마음의 상처를 입을 수도 있다. 비판 내용이 타당하더라도 자신을 비판한 친구에게 섭섭한 마음을 품을 수 있다. 발언자 역시 용기를 내서 비판 의견을 말했으나 도리어 다수 친구들로부터 반박당할 가능성도 있다. 괜스레 친구들로부터 관심을 받으려고 한다는 놀림을 받을 지도 모른다.

이때는 악마의 변호인을 따로 설정해주는 게 효과적이다. 악마의 변호인은 비판적 견해를 제시하는 역할이다. 개인 또는 그룹별로 악마의 변호인 담당을 정해주고 학급 회의에서 다수 의견을 비판하거나, 전혀 다른 의견을 제시하도록 한다. 악마의 변호인이 있는 것만으로도 학생들의 심리적 부담은 낮아진다.

비판적 의견을 제시하는 것은 악마의 변호인 역할을 수행하는 것일 뿐이다. 특이한 의견으로 관심을 받으려는 것도 아니고, 누군가를 의도적으로 공격하려는 것도 아니다. 이것 덕분에 비판당하는 입장에서도 논의 내용에 더욱 집중할 수 있다.

숨소리까지 억제해야 하는 교사

사실 학급 회의에서 교사는 집단 사고를 유발할 중요한 요인 중 하나다. 앞 사람의 발언이 다음 사람의 발언에 영향을 주는 것을 폭포수 효과라고 일컫는다. 교사는 이 효과를 극대화할 수 있다. 지위가 높은 사람이나 권력이 센 사람이 의견을 말하면, 다른 사람들은 의견을 내기 어렵다.

교실에서 교사는 가장 큰 영향력을 가지고 있다. 학급 회의에서 교사가 회의 주제에 대해 먼저 의견을 드러내면, 학생들은 이에 영향을 받아 다른 방법을 탐색하지 않게 될 수 있다. 반대로 교사의 의견을 따르지 않을 경우 부담감을 가질 수 있다.

그래서 교사는 학급 회의에서 자신의 행동과 발언에 주의를 기울여야 한다. 교사는 의제를 안내하는 데 주력할 뿐 본인의 의견이 학생들에게 전달되지 않도록 집중해야 한다. 만약 학생들의 논의 내용에 대한 피드백을 해주려면 학생들이 의견을 나눈 뒤에 해주어야 집단 사고 경향을 줄일 수 있다.

간혹 회의 도중에 개입해야 할 상황이 발생할 때도 있다. 회의 절차를 가르쳐야 하고, 회의를 방해하는 학생들을 적절히 제어하고, 강력한 또래 집단을 견제하기도 한다. 이런 경우를 대비하여 학생들에게 교사가 개입하는 상황을 미리 안내해주는 게 필요하다. 때로는 중요한 의사 결정의 순간에 교사가 자리를 피해주는 것도 방법이다.

쿠바 피그만 사태에서 실패를 맛본 미국 케네디 대통령은 곧이어 찾아온 쿠바 미사일 위기를 성공적으로 해결했다. 전문가들이 자기 눈치를 보지 않고, 다양한 비판적 의견을 낼 수 있도록 한 방법은 간단했다. 발언과 참여 횟수를 조절했으며, 본인이 회의에 들어가지 않기도 했다. 아무리 주의해도 교사의 의도하지 않는 행동이나 발언이 학급 회의에 영향을 준다. 학생들도 교사의 어조나 표정에서 교사의 의도를 나름대로 해석해 버릴 수 있다. 그래서 학급의 회의 역량이 어느 정도 갖춰졌다면, 시기와 사안의 특성을 고려하여 교사들이 자리를 피해주는 것도 방법일 수 있다.

어느 누구도 반대하지 않은 체험 학습 장소 결정, 아무도 만족하지 않은 체험 학습, 학급 회의는 집단 활동이고, 그래서 집단 사고는 작동한다. 의제 설정, 표현 방법과 발언 방식, 교사의 역할 등을 섬세하게 설계하지 않으면, 학급 회의는 민주적 절차라는 이름 아래 집단 사고로 왜곡된 어리석은 결정의 장이 될 수 있다. 학급은 집단이라는 점을 기억하자.

8. 서로 존중하는 학급 약속 만들기

구소희 · 조교금 · 최미파 · 하상범

학급 구성원이 함께 약속을 만들고 지켜나가는 것은 학급의 긍정적인 문화 형성과 신뢰를 쌓아나가는데 중요한 토대가 된다. 이렇게 토대를 다진 학급은 건강한 공동체로 성장한다.

과거에는 '지각하지 말자, 욕하지 말자, 수업 시간에 졸지 말자' 등의 생활 규정을 정하기도 했지만, 과도한 생활 규정이 학생 인권을 침해할 우려가 있다는 비판을 받기도 했다. 급훈 역시 '근면하고 부지런하라'는 메시지를 주는 것을 넘어 학생을 단순히 '공부하는 이, 감시를 받아야 하는 이' 등 미숙하고 수동적인 존재로만 인식해서 문제가 되기도 했다.

다행히 최근에는 학급 공동체가 함께 목표를 설정하고 약속을 만드는 것이 바람직하다는 인식이 점차 확산되고 있다. 실제 학교 현장에서는 피상적인 급훈보다 학생들과 함께 학급의 목표나 약속을 정하고 실천하는 것을 자주 목격할 수 있다.

급훈 VS 약속 VS 규칙

급훈의 사전적 의미는 '학급에서 교육 목표로 정한 덕목'이다. 전통적인 의미에서 학급은 아마도 교사를 지칭하는 것으로 보인다. 과거 우리가 알고 있는 급훈의 의미는 담임교사가 아이들에게 훈육의 목표로 정한 덕목이라고 할 수 있을 것이다.

규칙과 약속의 사전적 의미를 찾아보면, 규칙은 '여러 사람이 다 같이 지키기로 작정한 법칙이나 질서'로, 약속은 '다른 사람과 앞으로의 일을 어떻게 할 것인가를 미리 정하여 두는 것'을 의미한다. 규칙이나 약속은 여러 사람과 함께 지키도록 합의했다는 공통점을 가진다.

그러나 두 단어의 어감이 조금 다르다. 영어 단어를 통해 살펴보면 조금 더 쉽게 이해할 수 있다. 규칙은 'rule', 약속은 'appointment'의 의미를 지닌다. 'rule'에는 '지배하다'라는 뜻이 포함되어 있으므로 보다 강제적인 의미가 담겨 있다. 단어의 의미만 바라보자면 규칙보다는 약속이 '상호 협의와 자율적으로 만든 학급의 규율'이라는 느낌이 강하다. 현실에서는 규칙과 약속을 혼용해서 사용하고 있다.

약속이나 규칙 중에서 어떤 단어를 사용하든 문제가 되지는 않을 것이라고 본다. 약속이든 규칙이든 우리가 염두에 두어야 할 것은 '구성원들의 상호 합의에 따른 계약'이며 '함께 만든 것은 함께 지켜나가는 것'이어야 한다는 것이다. 여기서는 '구성원들의 상호 협의와 자율'이라는 뜻을 조금 더 살려 '학급의 약속'으로 사용했다.

학급의 약속을 함께 만들어야하는 이유

학급 약속을 어떻게 만드는지 전국 초중고 교사를 대상으로 설문 조사를 실시했다. 설문 조사 결과 학급 약속을 학급 회의에서 결정한다. 35.8%, 학급 회의에서 결정한 내용을 담임교사의 의견으로 조정한다. 28.4%, 담임교사의 의견으로 정한다. 9%, 담임교사의 의견을 학생들과 함께 조정한다. 23.9%로 나타났다. 설문 조사를 통해서 학급 약속을 정할 때 여전히 담임교사의 의견이 61.3%로 가장 큰 영향을 미친다는 것으로 알 수 있었다.

학급의 약속은 어떻게 정합니까?

학급에서 담임교사가 규칙을 정해서 아이들에게 지킬 것을 강조하는 것과 학생들이 함께 참여해서 문제를 발견하고 결정하고 행동하는 것에는 커다란 차이가 있다.

교사가 일방적으로 학급의 규칙을 만들어 학생들에게 지킬 것을 강요하면 문제가 발생하게 된다. 학생들은 자기들의 의견이 들어가지 않는 규칙에 거부감을 느끼게 되고 교사가 있을 때만 지키는 척하게 되는 경우가 많다. 이에 비해 함께 만든 약속을 스스로 잘 지켰을 때 학생들은 뿌듯한 마음을 갖게 된다. 학생들은 선생님이나 어른 등 외부의 기준을 그대로 따르기 보다는 함께 참여하여 만든 약속을 것을 더 가치있게 생각하고 지켜나가려 한다.

사례로 보는 학급 약속 만들기 가이드라인

A 학급의 사례	B 학급의 사례	C 학급의 사례
존중, 배려, 경청	친구를 배려하자 자기 역할을 잘하자 수업 시간에 집중하자	수업 시간에 떠들지 않기 복도에서 뛰지 않기 친구에게 거친말 쓰지 않기 발표할 때 끝까지 들어주기
학급의 약속이라기 보다 목표에 가까움	교사 주도의 규칙일 가능성이 높음	금지의 언어가 주를 이룸

A학급의 경우 학급 약속이 '존중, 배려, 경청'이다. 이는 학급 약속이라기보다 학급 목표라고 할 수 있는 가치 덕목이다. 학급 약속은 학생들의 구체적인 행동을 담고 있어야 한다.

'존중'이라는 가치 덕목을 학급 약속으로 표현하려면 이와 관련한 구체적인 행동이 드러나야 한다. 예를 들어 '다른 사람이 말할 때 끝까지 듣습니다' 등으로 표현하는 편이 낫다.

학생들과 약속을 만들 때 '이렇게 말해요', '이렇게 행동해요'와 같은 주제어를 가지고 어떻게 말하고 행동할지 구체적으로 알려주는 것이 좋다. 명확하고 구체적인 행동 용어를 사용하는 것이 학생들의 실천에 도움이 된다.

초등학교 1학년인 B학급의 학급 약속은 '친구를 배려하자. 자기 역할을 잘하자. 수업 시간에 집중하자'이다. 학급 약속에서 아이들의 목소리가 느껴지지 않는다. 조심스럽게 추측해 보자면 담임교사가 정했을 가능성이 높다. 물론 학생들이 정했을 수도 있다. 그러나 학생들의 목소리가 담기지 않는 규칙이나 약속이 아이들에게 어떤 영향을 줄 수 있을지 의문이 든다. 아직 어린 학생들이지만 스스로 생활에서 문제를 찾고 약속을 만들어가도록 도울 필요가 있다.

C학급은 학급 약속이 네 개다. 학생의 발달 수준에 따라 다소 차이가 있을 수는 있지만 초등학교에서는 보통 3개에서 5개 이내로 만들 것을 권장하고 싶다. 인간의 작업 기억과 관련하여 기억하기 쉬운 수이기 때문이다. 내용을 진술하는 방식 면에서 '~하지 않기'라는 식의 금지를 표현하는 문장이 4개 중 3개나 되는 점은 아쉽다. 금지를 나타내는 말보다는 바라는 행동을 직접적으로 표현하는 것이 학생들의 행동 변화에 도움이 된다. '실내에서 뛰지 않기'보다는 '실내에서는 차분하게 걷기'가 목표 행동이 정확하게 드러난다.

함께 만든 약속을 함께 지켜나가기

민주주의는 자율적인 판단과 결정, 그에 따른 책임이 반드시 수반된다. 회의를 싫어하는 사람들에게 이유를 물어보면 '해봐야 받아들여지지 않기 때문이다'라고 말한다. 학생들도 마찬가지로 회의 결과인 약속이 잘 지켜지지 않는다면 점차 참여 의지가 줄어들 수 있다. '해봐야 의미가 없다'고 여기면 관심이 사라지게 마련이다.

학생들이 만든 약속이 잘 지켜질 수 있으려면, 논의가 잘 이루어지게 사전 작업을 충분히 해야 한다. 범위와 내용을 명확하게 제시한 안건을 미리 준비하고, 해결 방법까지 고민해오게 할 필요가 있다. 소집단 토의나 붙임쪽지 등을 활용해 다양한 의견이 개진되도록 해야 한

다. 개인의 의사 표현이 늘어나면 탄탄한 토대 위에서 논의를 진행할
수 있고, 실현 가능한 내용이 나올 수 있기 때문이다.

이러한 과정을 거쳐 결정된 것을 큰 종이에 써서 정리하고 학급 구성
원들 모두가 지키겠다는 서명을 한 후 교실 앞쪽이나 옆쪽에 붙여 언
제든 참고할 수 있도록 한다.

존중받는 학급 약속, 공감이 중요하다

함께 만든 약속이라도 잘 지키지 않는 일이 종종 생긴다. 그럴 때는
해당 학생에게 회의 결과를 가리키며 "우리가 약속한 거예요"라고 단
호하게 이야기할 필요가 있다. 교사가 훈계를 하거나 야단을 쳤다면
불편한 표정을 보일 아이들이 학급 약속을 언급하면 스스로 지키지
못한 것을 부끄러워하는 모습을 보인다. 약속을 만드는 과정에서는
충분히 대화하고 토론하지만 모두의 합의로 결정한 이후에는 잘 지
켜나갈 수 있도록 도와야한다.

학급이 '존중'이라는 가치 위에 서 있다면 학생들은 함께 참여해서
만든 약속을 존중할 수 있을 것이다. 만약 함께 만들어 지키는 학급
약속에 문제가 생기면 학급 회의 안건으로 상정해 함께 토론하고 토
의해 수정할 수 있다.

학급 약속과 관련해 갈등이 생기면 역할극을 통해 불편한 점을 이야
기하며 해결해보는 것도 도움이 된다. 자연스럽게 약속을 자주 지키
지 않는 친구들 중 일부에게 불편함을 느끼는 학생의 역할을 주고,
반대로 불편함을 느끼는 학생에게 약속을 지키지 않는 친구 역할을
맡겨보는 것이다. 상대방의 입장에 서서 생각해 볼 기회를 가질 수 있
기 때문에 기대 이상의 효과를 얻을 수 있다.

공감은 상대방의 입장에 서서 생각하고 느끼는 것이라고 한다. 역할극으로 상대의 입장을 직접 느끼고 생각해보면 서로에 대한 이해를 높일 수 있고, 실현 가능한 해결 방법을 찾을 수 있다. 학생 수준에 따라 방식을 달리해 적용해볼 수도 있다.

9. 학급 회의로 소통하는 학급 만들기

구소희 · 조교금 · 최미파 · 하상범

> 학급 임원들이 모여서 전교학생회 회의하는데 진행 자체가 잘 안 돼요.
> 좋은 강사님 모셔서 정부회장 대상으로 리더십 캠프를 하려고요. 몇 시
> 간 정도 교육을 진행하면 학생들이 회의를 잘 하게 할 수 있나요?
>
> '쉬는 시간에 교실과 복도가 너무 소란스럽다'는 안건으로 학급 회의를
> 했어요. 그런데 '처벌'을 해결책으로 내는 아이들이 많아서 깜짝 놀랐
> 어요. 왜 그럴까요?

학급 자치 관련 강의를 나갔을 때 담당 교사로부터 간혹 받는 질문
이다. 첫 번째 이야기의 경우 학급 임원들이라고 해도 학급 회의를 실
제 진행하거나 참여해 본 경험이 많지 않기 때문에 당연한 모습이라
고 할 수 있다. 학급 회의는 교사와 학생이 꾸준히 함께 진행해 나가
야 하는 부분이다. 학생들이 한두 번 좋은 특강에 참여했다고 해서
짧은 시간에 민주적 회의 문화를 익히는 것은 거의 불가능에 가깝다.

두 번째 이야기도 첫 번째와 비슷하다. 학생들은 문제 상황을 민주적인 회의로 해결해 본 긍정적인 경험이 부족하다. 스스로 주체가 되어 해결해 나가기보다 문제가 생기면 어른들이 훈계를 하거나 해결책을 주었기 때문일 것이다. 스스로 주체가 되어 해결해 본 경험이 없는 학생들은 회의를 어렵게 느끼고, 처벌 중심으로 접근하기 쉽다.

학급 회의, 꼭 해야 하나요?

지역에 따라 다를 수 있지만 몇 해 전부터 교육청마다 학급 회의를 할 수 있는 학급 자치 시간을 월 1회 정기적으로 갖도록 권장하고 있다. 하지만 학교급에 따라 또는 교사의 성향에 따라 학급 회의 시간이 잘 지켜지지 않는 경우가 있다.

전국의 초중고 교사를 대상으로 학급 회의에 관한 설문 조사를 실시했다. 학급 회의를 하기 어려운 이유에 대한 답으로 초중고 공통으로 '교과 진도 나가기도 시간이 부족하다'는 응답이 많았다. 그래서인지 학급 회의를 정기적으로 하기보다는 필요할 때 실시하고 있는 것으로 나타나고 있다.

학급 회의를 얼마나 자주 하는지에 대한 질문에는 월 1회 정기적으로 실시한다는 응답이 22.4%, 2~3주마다 실시한다는 응답이 16.4%, 주 1회 실시한다는 응답이 4.5%였다. 월 1회에서 주 1회까지 정기적으로 실시한다는 응답이 43.3%인 반면 필요할 때만 실시한다는 응답도 49.3%에 달했으며 하지 않는다는 의견도 7.5%로 나타났다.

학급 회의를 얼마나 자주 하십니까?

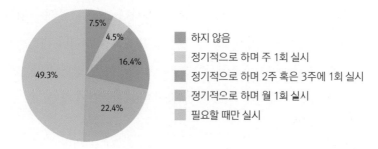

설문 결과에서 '필요할 때만 실시 한다'는 응답이 거의 절반에 다다른다는 점을 주의해서 바라볼 필요가 있다. 필요할 때만 실시한다는 것은, '필요하지 않을 때는 실시하지 않는다'라고 해석할 수 있다.

학급 회의는 만남과 대화의 과정

일반적으로 학급 회의는 학급에서 중요한 문제가 생겼을 때나, 결정해야 하는 안건이 있을 때 필요하다고 생각한다. 필요한 상황에서는 학급 회의를 당연히 하겠지만, 큰 안건이 없는 상황에서도 학급 회의를 할 필요가 있는지 궁금해할 수 있을 것이다.

평소 아무런 준비를 하지 않고 있다가 갑자기 중요한 문제가 생겼을 때 학급 회의에서 문제 상황에 대한 멋진 해결책을 찾아내기는 어려울 것이다. 학급 회의가 필요한 상황을 꼭 학급에서 결정해야 하는 것이 있을 때로만 한정 짓지 말고 조금 더 넓게 바라볼 필요가 있다. 학급 회의는 의사소통의 과정이며 민주적인 학급 문화를 만드는 중요한 요소이기 때문에 큰 안건이 없더라도 정기적으로 회의를 개최해 작은 안건이라도 논의하는 것이 좋다. 그렇게 하면서 문제 해결 방식과 의사소통의 능력을 키울 수 있다. 또한 자신들의 삶에 더 관심을 갖고 안건을 적극적으로 발굴해 낼 수도 있게 된다.

학급 회의, 이런 점이 좋아요!

간혹 주위 선생님들로부터 "학급 회의를 굳이 해야하나요?"라는 질문을 받을 때가 있다. 학급 회의는 학급 구성원들의 소속감을 높이고 학급이 성장하는데 매우 큰 역할을 한다.

학급 회의를 통해서 구현할 수 있는 가치를 생각해 본다면, 우리가 왜 학급 회의를 해야 하는지 그 필요성에 대해서 공감할 수 있을 것이다.

1) 다수결의 함정을 넘어 서로 존중하는 의사소통

학급 회의는 의사 결정 뿐 아니라 만남과 대화의 자리라고 할 수 있다. 따라서 학급의 구성원들이 충분히 자기 목소리를 내고, 다른 이의 의견에 귀를 기울이고, 새로이 자신의 의견을 보태는 과정을 거쳐 결과를 이끌어 낸다. 이런 과정이 순조롭게 이루어지려면 존중이라는 가치가 기반이 되어야 한다.

일반적인 학급 회의 진행은 '의견을 말해주세요', '그럼 이제 투표로 결정하겠습니다', '다수의 선택으로 결정되었습니다. 탕! 탕! 탕!' 하며 무조건 다수결로 결정한다. '존중'이라는 가치로 바라본다면 충분한 논의 없이 다수결에 의한 결정은 다수에 의해 자행되는 폭력이라고 할 수 있다. 존중이라는 가치를 기반으로 학급 회의를 꾸준히 실천한다면 충분한 논의를 진행 하고 다수결로 결정하는 것 이상의 결론을 이끌어 낼 수 있을 것이다.

2) 다름 존중과 평등한 관계 맺기

같은 또래의 학생들이지만 서로 다른 경험과 생각을 가지고 있다. 서로가 다르다는 것을 존중하고 이것을 바탕으로 평등한 관계를 맺을 수 있어야 한다. 다름을 인정하고 개별적인 존재라고 인식하면 '평등한 관계 맺기'가 가능해진다. 이것을 학급 회의에서 구체적으로 어떻게 적용할 수 있을까?

요즘에는 학급 회의를 할 때 둥글게 모여 앉는다. 학급의 구성원 모두는 원의 한 부분으로 참가한다. 둥글게 둘러앉아 서로의 눈높이를 맞추면 이야기를 동등하게 나눌 수 있다.

3) 안전지대가 되는 교실

학생들이 다름을 인정하고 다름을 더 적극적으로 드러낼 수 있으려면 학급 문화가 중요하다. 존중과 평등한 관계가 형성되면 '우리 반 친구들은 내 이야기를 공감하며 잘 들어줄 거야', '나의 문제와 우리의 문제는 연결되어 있어', '함께 하면 해결할 수 있어' 등 교실이 학생들에게 정서적으로나 신체적으로 편안함을 주는 안전지대가 될 수 있다.

학생들이 만나서 대화하고, 서로의 다름을 편안하게 드러내는 시간과 공간으로서의 학급 회의는 학생들에게 안전지대를 만들어주는 활동이라고 할 수 있다. '학급 회의를 왜 해야 할까?'에 대한 해답으로 지금까지 논의한 내용은 학급 회의는 도구적 활동이 아니라, 그 자체로 학급을 변화시키는 만남과 배움의 장이라고 할 수 있다.

학생들의 적극적인 참여를 이끌어 내려면?

학급 회의 운영에서 무엇보다 중요한 문제는 학생들의 참여다. 존중이든, 평등한 관계 맺기든 학생들이 참여하지 않으면 아무런 의미가 없다. 실제로 학급 회의 상황을 바라보면 소수 학생들만 참여하고 다수는 침묵하는 것을 종종 목격할 수 있다. 학생들이 침묵을 깰 수 있도록 도와주려면 어떻게 할 수 있을까?

1) 공동체 놀이로 시작하기

학급 회의 시작을 간단한 공동체 놀이로 시작해 보는 것도 좋다. 친구들과 몸과 마음으로 함께 놀 수 있기 때문에 학생들이 회의를 재미있고 즐거운 시간으로 생각하게 된다. 함께 하는 놀이로 시작하면 긴장이 풀려 마음의 벽이 허물어져 의사 표현도 조금 더 편안하게 할 수 있다.

2) 표현을 늘릴 수 있는 다양한 방법 사용하기

언어적 표현뿐 아니라 비언어적 표현도 소중히 다뤄야 한다. 성향에 따라 말로 의견 표현하는 것을 주저하는 아이들이 있다. 언어적 표현이냐 비언어적 표현이냐가 아니라 일단 표현을 늘릴 수 있는 방법을 찾아야 한다. 대개 언어적 표현이 많은 학생들이 비언어적 표현이 더 풍부하고 언어적 표현이 적은 아이들은 비언어적 표현도 적은 경향이 있다. 표현 자체를 더 많이 할 수 있도록 도와야 할 것이다.

아이들이 표현을 더 많이 할 수 있도록 아이들의 표정이나 끄덕임, 손들어주기, 패스하기 등의 의사 표현을 신호로 나타낼 수도 있다. 더불어 신호등 카드, OX판 등의 간단한 보조 자료를 사용하는 것도 좋다.

3) 긍정적인 학급 문화 만들기

몇 해 전 목소리가 아주 작은 학생이 있어서 학급 회의에서 마이크를 사용하도록 했다. 의사 표현도 많지 않았던 친구였는데, 1학기가 거의 다 지나갈 때 쯤 어느 순간 마이크 없이도 자기 의견을 또렷하게 말하기 시작했다. 친구의 변화를 마주하던 순간 누가 먼저랄 것도 없이 다 같이 "와~" 하고 박수치던 기억이 난다.

그 학생이 자신감을 갖게 된 것은 표현의 기회가 늘어난 것도 있지만 서로 존중하고 배려하는 학급 문화가 더 큰 영향을 미쳤을 것이다. 학기 초부터 '충고, 조언, 평가, 판단' 하지 않고 서로 격려하는 학급 문화가 형성되어 있었다. 꾸준한 학급 회의가 그런 문화 형성에 큰 역할을 했다.

다름은 틀림이 아니라는 것, 다름은 좋은 것이라는 것을 학급 회의를 통해 꾸준히 경험했던 것이 좋은 영향을 미쳤을 것이다. '내가 이런 이야기를 하더라도 친구들은 이해할 거야. 목소리가 작아도 친구들이 잘 들어줄 거야'라는 믿음이 조금씩 쌓여간 결과라고 할 수 있다.

4) 안건 게시판 활용하기

필자의 학급의 경우 한 달에 한 번 정기적으로 학급 회의를 하는데, 게시판에 학급 회의 안건을 붙임쪽지로 언제든 붙이도록 하고 있다. 같은 의견이 다섯 개 모이면 학급 회의의 정식 안건으로 채택하도록 했다. 학생들이 주변에서 해결해야 할 문제가 없는지 열심히 찾기도 하고, 해결책을 찾기 위해 집중했다.

5) 누구나 의견을 표현할 수 있도록 돕기

학생들이 다른 친구들 앞에서 발표하는 것을 어려워하는 경우 발표 부담을 낮춰주는 방법을 사용할 수 있다. 다수 앞에서 바로 말하는 것보다 모둠을 구성해 모둠 내에서 의견을 모을 시간을 주는 것이다. 또한 학생들에게 의견을 곧바로 이야기하게 하는 것보다 생각을 정리하고 이를 종이에 메모할 수 있도록 시간을 주기도 한다. 붙임쪽지를 이용해서 자신의 의견을 글로 정리하는 것도 도움이 된다.

초등학교 저학년 경우는 긴 문장보다 중요한 단어를 먼저 적어보도록 하고 거기에서 생각을 붙여 문장을 만들어낼 수 있도록 지도하는 것도 도움이 된다. 긴 문장을 쓰기 싫어하는 아이들은 초중고 학교급을 막론하고 모두 있기 때문에 중고등학교에서도 충분히 활용할 수 있는 방법이다.

> **학급 회의 참여를 위한 작은 Tip**
> - 함께하는 놀이로 시작해 학급 회의를 즐거운 시간으로 인식하도록 하기
> - 학생들의 다양한 표현을 이끌어 주기
> - 다름을 존중하고 수용적인 학급 문화 만들기
> - 전체보다는 소집단으로, 문장보다는 단어부터 시작하기

(1) 초등학교 저학년 학급 회의

Q. 초등학교 저학년의 경우는 학급 회의 진행을 어떻게 해야 할지 모르겠습니다.

A. 자기 목소리를 내고, 경청하고 서로 다름을 느끼고 조율해 나가는 과정은 어릴 때 부터 배워야 합니다. 어른들도 자기 의견을 표현하는 것에 익숙하지 않은 경우가 있습니다. 그렇기에 학생들이 자기 의견을 표현하는 지속적인 배움이 필요합니다. 저학년 발달 단계에 맞게 몸으로 하는 감각 놀이를 하며 모두가 다르고 소중하다 는 것을 익히도록 합니다. 자신의 감정과 생각을 나누며 이야기 나눌 수 있는 서클 활동을 정기적으로 마련하는 것도 좋습니다.

교사는 학생들이 목소리를 내도 안전할 수 있다고 느낄 수 있도록 편안한 경험을 제공해야 합니다. 어렵더라도 다른 사람 앞에서 이야기할 수 있는 용기를 주면 학 급을 안전기지로 느끼게 됩니다. 이런 과정이 일상에서 반복되면 논의할 것이 생 길 때 자신의 의견을 자연스럽게 이야기할 수 있게 됩니다. 다소 느리고 큰 변화가 없더라도 살아갈 수 있는 지혜와 힘을 키워주는 과정입니다.

(2) 일단 반대부터 하는 학생

Q. 학급 회의를 할 때 무조건 반대부터 하고 보는 친구들이 종종 있습니다. 회의가 잘 되지도 않고 결국 감정싸움으로 가기도 해서 난감하죠. 이럴 때 어떻게 해야 할까요?

A. 이런 경우 교사와 학생들 모두 난감하지요. 일단 반대부터 하게 되면 회의 진행이 잘 진행되지 않고 자칫 다툼으로 번질 우려도 있습니다.

시각을 바꿔보면 어떨까요? 반대를 위한 반대를 하는 학생들이 정말 하고 싶은 말 이 무엇일까 생각해 보았습니다. 이렇게 학생의 욕구와 마음에 관심을 두기 시작 했습니다.

지속적으로 반대를 주로 하는 학생이 왜 그런 행동을 할까? 그 학생이 바라는 것 이 무엇인지 자세히 살펴야 할 필요가 있습니다. 학급에 소속감을 느끼고 있는지, 다른 학생들과의 관계에서 불편함은 없는지, 반대를 하며 주목받으려고 하는 것 은 아닌지, 학생과 진지하게 이야기를 나누어야 합니다.

반대만 하는 것처럼 보이는 학생이라도 그 의견이 생각을 전환시켜줄 수 있는 경우가 있습니다. 그럴 때를 잘 포착하여 격려하면 학급 회의에 긍정적으로 기여하는 방식을 탐색하도록 도울 수 있습니다.

선생님과 친구들이 긍정적으로 바라보고 격려해 주는 것이 처음에는 낯설고 당황스러울 수 있지만 이러한 경험이 쌓이면 결국은 친구들과 좋은 관계를 맺고 싶고, 학급에 소속하여 기여하고 싶은 마음이 생기게 됩니다.

(3) 개인의 이익을 더 중요하게 여기는 학생

Q. 공동의 이익보다 개인의 이익을 중심으로 학급의 의견을 정하려고 하는 학생들이 있을 때 어떻게 해야 할까요?

A. 타인에 대해 이해를 높이고, 공동의 이익이 개인에게도 이익이 될 수 있다는 것을 학생들이 알아야 합니다. 김현수 교수님의 〈요즘 아이들의 마음고생의 비밀〉에 요즘 아이들은 다른 사람과 만나고 함께하는 경험보다 문제 풀이에 더 익숙하기 때문에 타인의 감정과 생각을 사유하고 성찰할 기회가 없다는 대목이 있습니다.

요즘 아이들은 타인과 마주하며 소통할 기회가 부족하다보니 이해력과 공감 능력이 부족합니다. 그렇기에 다른 친구들의 입장을 다양하게 들어보고 이해할 기회를 만들어주는 것이 무엇보다 중요합니다. 일단 모이고 이야기 나누고 경청하는 과정이 필요합니다.

짧은 시간에 생각과 행동이 갑자기 이타적으로 바뀌기는 어렵습니다. 그러나 아이들에게 다른 사람들의 입장을 들을 기회를 지속적으로 갖게 하면 조금씩 성장하는 모습을 볼 수 있습니다. 학급의 긍정적인 문화는 긍정적인 또래 압력을 발생시켜 학생의 변화에 도움을 줍니다.

에필로그 ✱

학급 집단 구성원들과 함께
교실이라는 무대에서 펼쳐지는 인생 극장

- 김현수

교실에서 일어나는 일들을 개인의 내적 역동을 넘어서 집단의 상호 작용과 환경, 그리고 맥락의 영향을 통해 바라보고 이해하고자 하는 노력을 담는 시도를 하는 첫 책입니다.

이 책은 정신의학에서 환경 치유, 치료 공동체라고 부르기도 하고, 유럽에서는 제도적 치료, 제도 요법이라고 부르기도 했던 영향과 그 맥을 이어볼 수도 있습니다.

또 교실은 사회의 축소판이라고 말해왔던 여러 개혁적 교육학자, 교육 운동가 분들의 시선으로 볼 수 있는 접근법과도 궤를 같이 한다고 할 수 있을 것 같습니다.

개인의 신화를 넘어서, 개인의 능력을 넘어서 집단과 환경이 미치는 영향을 이해하고 그 작동 방식을 고려해서 집단이 함께 가장 행복하게 살아갈 수 있는 방식을 찾는 노력의 작업들을 하기 위해 시작한 일입니다. 시작해보니 우리가 집단으로서 자칫하면 잘못된 길로 빠질 수 있는 오류도, 함정도, 샛길도 진짜 많다는 것을 새삼 알게 되었습니다.

학급 구성원들과 함께 교실이라는 무대에 오르며 아이들은 매일을 살아갑니다. 그날 그날 새롭게 펼쳐지는 드라마에 출연하면서 날로 성장해가는 자신들을 발견합니다. 하지만 교실에서의 드라마가 행복한 성장극으로만 구성되지 않는다는 것은 우리가 잘 알고 있는 현실입니다. 때로는 이해하기 힘든 부조리극, 잔혹극 또 어떤 경우는 막장극이 되기도 합니다. 교실에서 학급 동료들과 일어나는 이 드라마가 인생 승리가 담긴 휴먼 드라마가 되도록, 실체로서의 집단성이 체득되고, 건강한 공동체성이 경험되도록 하는 과제가 이루어지도록 돕는 것이 우리의 중요한 과제입니다.

우리는 타인 없이 존재할 수 없는 인간이라는 동물입니다. 타인의 영향력, 특히 교실에서 벌어지는 타인들의 집단으로서의 영향력을 잘 이해하는 일은 교사, 치료자이기에 더 중요합니다. 부디 이 책이 아주 기초적인 부분들을 다루지만 추후 교실에서의 집단 심리에 대한 보다 자세하고 풍부한 우리네 교실의 이야기들을 담는 시도의 초석이 되길 빕니다.

함께 읽어주신 여러 선생님들의 좋은 피드백을 겸허하게 반영하면서 계속 버전을 업그레이드 해가도록 하겠습니다. 감사합니다.

"학급은 만나는 순간부터 발달하여 성장해 나간다"

- 구소희

두근거리는 마음으로 발령을 받고 아이들과 만나 좌충우돌 하던 교직의 첫해가 떠오릅니다. 열정 가득한 새내기 교사 시절에는 교과를 잘 가르치는 것이 가장 중요한 줄 알았습니다. 학교에서 아이들과 함께하는 시간이 쌓이면서 학생들의 온전한 성장을 돕기 위해서는 그들의 발달을 이해하고 민주적인 학급 운영과 생활 교육이 바탕 되어야 한다는 것을 알게 되었습니다.

교사는 학생들의 전반적인 심리 정서 발달에 대해 이해하고, 학급 내에서 아이들의 관계를 파악하며, 학급이라는 집단이 어떻게 발달하는지 알고 미리 준비하는 것이 필요합니다. 돌아보면 이렇게 중요한 것들을 교사 양성 기관인 대학에서 충분히 배우지 못했습니다. 아이들과 생활하며 많은 어려움을 경험하고 나서야 이러한 부분을 더 깊이 공부할 필요를 느꼈습니다. 교사 연수, 공부 및 연구모임 등 배울 수 있는 곳은 어디든 달려가 공부하고 실천하며 하나하나 차근차근 쌓아왔습니다.

"사랑하면 알게 되고 알게 되면 보이나니, 그때 보이는 것은 전과 같지 않으리라"라는 말이 있습니다. 교사들에게도 해당되는 이야기입니다. 아이들에게 관심을 기울이고 공부하면 예전에 보이지 않았던 것이 보입니다.

학생의 어긋난 행동을 단순히 '문제 행동'이나 '개인의 일탈'이라고 생각했던 것이 학생의 '누적된 실패 경험', '실패를 불러오는 환경', '학급이나 집단 문화'의 영향일 수 있다는 것을 알게 되었습니다. 바라보는 관점이 바뀌면 대응도 바뀌게 됩니다. '지금 아는 것을 그때 알았다면' 하는 아쉬움이 있습니다.

학교에서 교생 선생님들과 교직 경력이 높지 않은 선생님들과 종종 만납니다. 20여 년이 지났지만 매년 새로이 학교에 나오시는 선생님들은 제가 새내기 교사 시절의 어려움을 여전히 겪고 있습니다. 교직 경력이 어느 정도 쌓인 선생님들도 이와 비슷한 어려움을 겪는 경우가 있습니다. 학생의 어려움이나 성장을 단순히 '개인의 노력'으로만 여기는 분들과 종종 만납니다. 그래서 〈요즘 아이들 학급 집단 심리의 비밀〉이라는 책을 준비하게 되었습니다.

이 책에는 지난 몇 해 동안 김현수 교수님과 현장 교사들이 애착과 관계 심리를 공부하는 '관계의 심리학을 연구하는 교사단'에서 공부하고 실천한 경험과 지식, 그리고 시간이 차곡차곡 쌓여 있습니다. 〈요즘 아이들 학급 집단 심리의 비밀〉은 우리에게 '학급은 단순히 개인이 모인 집합이 아니라 그 이상의 힘을 갖는 집단이며 학급은 만나는 순간부터 발달하여 성장해 나간다'라고 말합니다.

교직 경험이 많지 않은 새내기 선생님들이나 학급을 집단으로 바라보고 긍정적인 학급 문화를 통해 성장할 수 있는 학급을 바라시는 중견 선생님들께 도움이 되기를 바랍니다. 〈요즘 아이들 학급 집단 심리의 비밀〉과 만나 아이들과 함께하는 하루하루가 보람과 성장으로 채워지셨으면 좋겠습니다.

"집단의 긍정적인 지혜라는 선물을 드립니다"

- 조교금

좋은 사람이 되고 싶었습니다.

좋은 사람이 되려면 많은 것을 배우고 배운 만큼 시간을 들이면 된다고 생각한 적도 있었습니다. 물론 한 개인의 성장과 성숙을 위해 배움과 시간은 필요한 부분입니다.

시간이 지나고 보니 좋은 사람이 될 수 있게 하는 큰 원동력은 바로 사람이었습니다. 25년 전 첫 교생 실습에서 생각보다 아이들을 좋아하고 있음을 느끼게 해 준 선배 교사와 동료들과 아이들. 첫 발령 시 진한 애정으로 일 년 살이를 함께 해 준 첫 제자들과 학부모님들. 매해 새로운 만남으로 설레게 하는 아이들과 그 가족들. 그리고 늘 힘이 되어주고 고민을 나누어 주는 동료들. 사람과 사람이 기대어 함께 만들어가는 시간, 공간이 교실 속에서도 온전히 보입니다.

때론 제게 버거운 아이들이 찾아왔을 때 아이의 행동을 문제 상황으로 인식해 혼자 어떻게 해결할까 고민한 적도 있었습니다. 하지만 여러 배움과 나눔의 실천 속에서 '문제로 인식' 하기보다 '어떤 관심'을 줄지를 생각하니 자극과 반응 사이의 많은 공간이 선물처럼 주어졌습니다. 혼자 해결해야 할 버거움이 아닌 긍정적인 또래 작용과 함께 만나고, 가르칠 때 아이들에게 긍정적인 변화가 찾아오기 시작했습니다.

혼자 꾸는 꿈은 꿈으로 끝날 수 있지만 여럿이 함께 꾸는 꿈은 현실이 됩니다. 교실과 학년, 그리고 학교에서 비전을 공유하고 함께 꿈을 꾸어가며 희망이 현실이 되는 경험들을 나누고 싶었습니다.

학급 사회심리학이 우리에게 개인을 넘어 집단의 긍정적인 지혜를 선물해 주리라 기대합니다. 선생님들을 그 질문과 과정으로 초대하고자 합니다.

함께 하며 만들어가는 "덕분에 아름다운 세상"

– 최미파

김현수 교수님과 관계의 심리학을 연구하는 교사단 선생님들을 처음 만난 날 기억이 생생합니다. 저는 모임에 참여하게 된 계기를 이야기하며 눈물을 펑펑 쏟았습니다. 설렘 가득했던 교직 첫해에 설렘도 잠시, 저마다의 전성기를 보내는 고등학교 2학년 학생들의 담임으로 함께 하며 말 그대로 다사다난한 하루하루를 보냈습니다. 하나의 학급으로 바라볼 때는 활발하고 에너지 넘치는 공동체로 보이기도 했지만 개개인의 모습에는 저마다의 아픔과 이야기가 참 많았습니다. 그중 학교생활에 온전히 집중하기 어려운 여러 상황을 겪고 있는 학생이 있었습니다. 잘 모르는 사람의 눈에는 문제 행동을 하고 학교생활을 불성실하게 하는 학생으로 보였을 것입니다. 하지만 함께하는 시간이 많아질수록 아이가 겪고 있는 상황이 참 가혹하다는 생각이 들었습니다. 어쩌면 이것은 아이만의 잘못이라기보다는 아이를 잘 보듬어 주지 못한 어른들의 잘못이 크다는 생각이 들었습니다.

교직 첫해에 여러 어려움을 겪고 있는 아이와 학년 끝까지 함께 하는 것이 쉽지 않았습니다. 하지만 감사하게도 조언해주시고 도와주시는 선생님들이 계셔서 무사히 3학년에 올려 보낼 수 있었습니다. 졸업식에서 만난 아이는 여느 아이보다 성장해 있었습니다. 졸업을 축하한다고 하자 "선생님이 더 고생하셨죠"라고 말하는 아이의 그 한마디에 그간의 아픔은 눈 녹듯 사라지고 아이의 성장에 참 감사하게 되었습니다. 더불어 관계의 힘과 사람 사이의 마음 나눔이 참 귀하다는 것을 느낄 수 있었습니다.

교직 두 번째 해에 에너지 넘치고 함께 함이 즐거운 고등학교 1학년 아이들의 담임을 맡으면서 학급의 힘을 크게 느꼈습니다. 서로에게 힘을 주고받으며 아이들로부터 '덕분에 아름다운 세상'을 선물받기도 했습니다. 관심단을 통해 애착과 관계, 학급 사회심리학 등을 공부하며 아이들을 개개인으로 이해하고 또 하나의 집단으로 바라보며 함께하는 법을 알아가며 성장하고 있습니다.

처음 아이들을 만나기 전에 학급 명렬표를 보며 학번과 이름을 외우면서 앞으로도 늘 새 학기에 꼭 실천해야겠다는 마음으로 지금까지 실천에 잘 옮기고 있습니다. 두 번째 해가 되면서 또 새로운 아이들을 만나고 나니 그 아이들부터 외워지는 게 아니라 첫해 아이들부터 자꾸 곱씹게 됩니다. 그래서 매 시험 기간마다 담임을 맡았던 아이들의 이름을 마음속으로 부르며 아이들을 위해 기도합니다. 함께 배우며 성장하면서 서로에게 선한 영향력을 끼칠 수 있는 사랑스러운 학급을 만들어가기 위해 늘 노력하고자 합니다.

이 책을 읽으신 선생님들께도 학급의 존재가 '덕분에 아름다운 세상'이 될 수 있도록 도움이 되기를 기도합니다.

학급을 살리는 새로운 관점

- 하상범

고등학교에 비해 중학교는 생활 지도 비중이 큽니다. 문제를 일으키는 학생을 지도하는 데 힘을 쏟다보면 전문성을 발휘해야 할 교과 교사로서 존재 의의도 고민하게 됩니다.

중학생들의 특성을 한 단어로 나타낸다면, '변화'라고 할 수 있습니다. 어린 아이 같은 학생이 1년 새 180cm를 훌쩍 넘는 거구의 사나이로 변해있는 사례는 적지 않습니다. 존재적 변화도 역동적인 모습을 보여줍니다. 모범상을 받은 학생이 학년이 바뀌고서 갑작스레 학교를 뒤흔드는 요주의 인물이 되기도 합니다. 어느 시점에 이르면 언제 그랬냐는 듯이 안정된 모습을 보이곤 합니다.

친구 관계 측면에서도 학생은 복잡하고 다채로운 풍경을 보여줍니다. 또래 집단이 형성되고 해체되었다가 또 다른 또래 집단으로 나타납니다. 형태와

주기를 예측하기 어렵습니다. 심지어 또래 집단에서 도태되었던 학생이 다시 그 집단에 들어가서 다른 학생을 밀어내는 일들도 심심찮게 벌어집니다. 중학교 학생을 지도하는 것은 참 어렵습니다. 스포츠 경기에서 수비수가 공격수를 일대일로 마크하듯이 교사가 학생을 일일이 붙잡고서 대응하는 것은 현실적으로 불가능합니다. 교사는 쉽게 소진되어 학생의 문제 행동에 적절하게 대응하지 못하게 됩니다.

이제 학생을 개개인으로서 뿐만 아니라, 집단으로 이해하는 노력이 필요합니다. 특히 중학생은 정체성과 존재감이 불안정하고, 친구 관계에 영향을 크게 받습니다. 또래 집단의 행동과 사고 경향을 따르려는 경향이 초등과 고등학교에 비해 더욱 강합니다.

교사는 학급에서 건강한 또래 집단이 형성될 수 있게 해주어야 합니다. 여러 개의 또래 집단이 모인 안정된 학급 집단을 만드는 것입니다. 집단 안에서 학생이 안정감과 존재감을 경험한다면, 자연스레 긍정적으로 달라질 것은 분명합니다.

지금 우리 학급은 어떤 집단인지, 어떤 방향으로 나아가고 있는지, 어떻게 해야 안정적인 집단이 될 수 있을지 등을 고민해야 하겠습니다.

학급 경영을 위한
작지만 중요한
환경과 공간에 관한 정보들

김현수

【 47번째 지혜 】

온도, 소음, 밀집, 냄새는
학급 분위기에 영향을 미친다

【 48번째 지혜 】

무조건 사람이 많다고
일을 효율적으로 할 수 있는 것은 아니다

환경 : 환경은 사람을 지배하고, 집단을 지배한다

쾌적한 장소

• 긍정감 vs 부정감 : 크고 쾌적하고 정돈된 공간은 긍정감을 주고, 줍고 지저분한 공간은 부정감을 준다.

• 이완 vs 긴장 : 적절한 자극과 편안한 분위기를 제공하는 장소는 이완감을 주고 반면 과도한 자극과 균형을 이루지 못한 환경은 긴

장을 불러일으킨다.

- 사람들은 지나친 단조로움을 힘들어 한다. 제공되는 환경에서 아무 것도 없는 것보다는 적절한 자극을 선호한다(예 : 남극, 텅 빈, 있을 것이 없는 것 같은 느낌을 주는 빈 공간에서는 오히려 긴장한다).

- 무엇보다 공간이 좁아서 사람들의 밀도가 높으면 공격성이 높아진다는 것을 아는 것이 중요하다.

스트레스 관련 환경 요인

1) 기온

- 고온 다습한 기온에서 스트레스가 높다.
- 이 경우 분노가 더 자주 폭발하는데, 기온 자체의 영향도 있지만 땀이 분비되는 것과도 관련이 높다.
- 땀에서 분비되는 냄새는 불쾌감을 유발하고 공격성을 자극한다.

2) 소음

- 80데시벨(dB) 이상의 소음은 생리적으로 사람들에게 참을 수 없는 변화를 유발한다.
- 집중 곤란, 분노 폭발, 의사소통 곤란과 같은 현상이 일어난다.
- 소음이 높은 상태에서 생활하는 시간이 길어지는 경우에 대한 연구 보고는 더 부정적이다.
- 사람들 간의 이타성도 줄어들고, 기본적인 상호 작용도 줄어든다.
- 소음이 유발하는 질환은 광범위하다. 신체 질병이 증가하는 것 뿐 아니

라 발기 불능을 포함한 성적 관련 질환에도 영향을 미치고 정신 질환도 증가하며 심지어 사망률도 증가하는 것으로 보고되고 있다.

행동 상황(Behavioral Setting)

- 환경은 인간을 통제한다.
- 로마에 가면 로마식을 따르라고 하듯이, 이 말의 요즘 버전은 맥도날드에 가면 맥도날드에 맞게 행동하라는 것이다.
- 깨진 유리창을 보면 돌을 던지고 간다.
- 형태 일치(synomorphy) : 준비된 장소에 알맞은 사람이 와야 한다. 사람과 장소, 혹은 업무와 사람의 일치도가 높아야 업무의 효율이 높다. 즉, 학교에는 교사가 와야 일을 잘할 수 있고, 병원에는 의사를 보내야 일을 잘할 수 있다. 현재 학교에 필요한 사람은 교사인데, 행정 요원을 많이 뽑아서 보내 봤자 큰 도움이 안 될 수도 있다.
- 충원 이론(staffing theory) : 인원이 적절할 때 가장 좋은 결과를 낳는다. 과소 충원과 과다 충원이 모두 좋지 않다는 이론인데, 형태 일치도가 있는 상태에서 과소 충원과 과다 충원은 모두 좋지 않은 결과를 낳는다.

일터의 설계

사람들이 모여서 일할 때 가장 효율을 발휘할 수 있는 일터의 구조가 있다.

- 벌집형 : 구조화된 개별적 일을 할 때

- 독방형 : 장기적인 개인별 과제를 할 때
- 동굴형 : 모두가 함께 하는 집합적 과제, 개인 공간을 강조하지 않을 때
- 클럽형 : 협업과 개인 과제 동시 가능한 일터로서 가장 생산적일 수 있다. 하지만 산만하다고 느껴질 수도 있다. 팀워크가 좋을 때만 작동이 잘 된다.

【 49번째 지혜 】
아이들 사이의 물리적 거리는 심리적 거리에 비례한다.
그 역도 성립한다

공간(space) : 사람들은 공간의 지배를 받는다. 사람들은 공간의 거리로 관계를 표현한다

개인 공간
- 공간은 개인 공간에서 대인 공간의 영역으로 확장된다.
- 대인 공간의 영역은 친밀한 공간부터 다음과 같은 순서로 확장된다.
  : 친밀한 관계의 공간 〉 개인적 관계의 공간 〉 사회적 관계의 공간 〉 공적인 관계의 공간 〉 원거리(낯선) 관계의 공간
- 실제 물리적 거리는 심리에 비례한다.

공간에 대한 남녀의 태도 차이

- 남자는 공간 확장형 : 다리 벌리기 등 남자는 공간을 많이 차지하려는 경향이 상대적으로 강하다.
- 여자는 공간 축소형 : 다리 꼬기 빈도가 더 많다.

지위

- 사람들은 높은 지위의 사람과 더 멀리 떨어지려는 경향이 있다.

접촉

- 지중해, 라틴 아메리카 사람들은 대인 관계에서 직접 접촉을 선호하는 경향이 있는 반면, 미국, 영국, 독일은 비접촉 성향이 높다. 문화는 대인간 거리 영역에서 사람들이 상호 작용하는 방식에도 영향을 미친다.

공간 침범

- 공간 밀집도의 증가로 인한 개인 공간의 감소 혹은 침범 : 각성도의 증가와 함께 분노가 더 높게 유발되는 경향이 있다.
- 낯선 사람의 등장 : 낯선 사람이 등장해 공간 침범이나 공간의 강탈이 우려되면 사람들은 화장실 가는 빈도도 줄어들고, 각성도는 훨씬 높아진다.
- 밀도-강도 가설 : 밀도가 높아질 때 불쾌한 것은 더 불쾌해지고, 좋은 것은 더 좋아지기도 한다(Freedman, 1979).
- 공간의 밀도 증가로 통제감이 상실되면 불쾌감이 증가한다.

- 방해 효과의 증가 : 밀도가 높으면 방해 효과가 커진다. 방해와 간섭의 증가로 인해 불쾌감이 증가된다.

【 50번째 지혜 】

앉는 자리의 배치를 바꾸는 것만으로
사람들의 심리가 달라지기도 한다

【 51번째 지혜 】

아이들은 보고 있는 사람이 있느냐, 없느냐에 따라
행동이 달라지기도 한다(검투사의 법칙)

영역(Territories) : 사람들에게는 자신에게 유리한 영역이 있다

홈 어드밴티지 : 확실히 있다
- 사람들, 집단들도 늘 영역을 표시하고 유지하려 하고 이것이 안도감, 편안함을 준다.
- 자신의 영역과 구획을 정하고 표시하려는 속성이 있다.
- 텃세 효과는 반드시 있다.

자기 영역 안정성
자기 영역이 확고할 때 사람들은 심리적으로 안정된다.
- 복도식 기숙사와 방사식 기숙사를 비교하는 연구 결과가 흥미롭

다. 자신의 영역이 더 보장되고 사생활 노출이 더 적은 방사식 기숙사에서 지내는 학생들이 자기 공간이라는 소속감과 집단 정체감이 높다는 연구들이 더 많다.

- 남극 증후군 : 남극 근무와 같이, 일시적으로 근무하는 공간에서 집단적으로 지낼 때, 일정한 기간 특정한 자극 없이 지내면 사람들은 무기력해지고, 도덕성이 저하되며 사소한 문제로 다투기도 한다.

- 우주선 스트레스 : 극단적이고 비일상적 환경, 예를 들어 우주선, 잠수함 등의 제한 공간에서 집단생활을 하게 될 때, 그 기간 동안 무엇을 할지 미리 계획을 세우지 않았거나 훈련받지 않은 사람들은 훨씬 힘들어 했다. 이런 생활에 실패한 사람들은 집단의 다른 구성원에 대한 기대가 지나치게 크고, 사람들 간의 공유 영역을 너무 크게 생각한 나머지 혼자 있는 긴 시간을 더 힘들어 했다.

검투사 법칙

검투사들은 군중이 있으면 싸우고, 그렇지 않으면 싸움을 멈춘다.

- 군중 존재 여부에 따라 교실 혹은 광장은 싸움터가 될 수도 있고, 아닐 수도 있다.

- 아이들 싸움에도 구경꾼을 빨리 없애면 싸움을 더 빨리 멈출 수 있다.

좌석 배치

좌석은 단지 자리 이상의 의미를 지니고 있다.

- 좌석 배치는 사람들의 대화의 방식을 바꾸고, 말하는 방식을 달라지게 한다.
- 구심적 공간 : 친한 사람끼리는 가장 중심이 되는 사람을 중심으로 서로 모여 앉는다.
- 원심적 공간 : 친하지 않은 사람끼리 모이면 띄엄띄엄 앉아 있게 된다.
- 대화를 나누는 만남을 위해서는 서로 마주보게 앉도록 배치한다.
- 협동 작업을 위해서는 함께 나란히 앉도록 한다.
- 경쟁하는 팀끼리는 서로 대항하듯이 마주하며 각각의 줄로 앉는다.
- 빙 둘러 앉는 원형, 서클 형태의 좌석은 사람들을 단결하게 하고 소속감을 높이는 효과가 뚜렷한 대신 부담감은 높아진다. 반면 원안에 있을 때 타인들에 대해 더 매력을 많이 느낀다고 한다. 원형 대열의 자리 배치는 여성이 더 선호하는 경향인 높다고 한다.
- L자형으로 앉는 것은 집단 성원들을 불안하게 만드는 일이며 흔히 안절부절 못하다가 집단 토론이 중단되는 경우가 많다.
- 남성은 좋아하는 사람과 만날 때 마주보면서 앉기를 선호하는 반면, 여성은 옆자리에 앉는 것을 더 선호한다.
- 남성은 낯선 사람과 만날 때는 낯선 사람이 옆에 있는 것을 선호하는 반면, 여성은 마주보는 것을 선호하는 경향이 높은 것으로 나타난다고 한다.
- 의사소통 양식-스타인조(Steinzor) 효과 : 앞에 사람이 말하면 반대편 사람이 말하게 된다. 특히 리더가 없을 때는 더 그렇다. 리더

가 있으면 리더가 제일 먼저 말하게 되는 경우가 많고, 그리고 리더 옆에 있는 사람이 말을 더 많이 한다.

- 상석 효과 : 상석에는 지배하고 싶어 하는 사람들이 더 많이 앉고, 그 자리에 앉게 되면 발언을 더 많이 하게 되는 효과가 나타난다.

관계 증진을 위한
학급 공간 구성

- - - - - - - - - - - - -
구소희 · 최미파

학급 공간의 의미

'교실'이라고 하면 어떤 모습이 떠오를까? 시대에 따라 조금씩 모습
이 변하기도 했지만 세대를 막론하고 전체적으로 네모반듯한 공간의
앞쪽에는 칠판이, 뒤쪽에는 사물함이 있는 곳이 자연스럽게 떠오를
것이다. 오늘날의 학교 건물은 1920년대에 최초 등장한 보통학교 건
물의 구조 형식이고, 1962년 학교 시설 표준 설계로 제정되어 현재까
지 비슷한 모습을 이어오고 있다.[44]

인천 A초등학교

서울 B여자고등학교

---

44) 학교의 품격: 삶이 있는 공간이 되려면 학교는 어떻게 변해야할까?, 임정훈, 우리교육, 2018.

위 사진은 초등학교와 고등학교 학기 시작 전의 교실의 모습이다. 교실 앞쪽과 옆쪽에는 칠판, 교사 책상, 대형 스크린, 책상과 의자, 학습 자료를 보관할 수 있는 수납함, 뒤편에는 학생 사물함 등이 있다. 교실은 주로 학습과 수납 공간으로 이루어져 있고 딱딱하고 건조한 느낌이 든다.

교실은 학습의 공간이기도 하지만 학생들이 친구들을 만나고 대화하며 살아가는 삶의 공간이기도 하다. 그러나 우리의 교실에는 '학습'만 있고 학생들의 삶이 보이지 않는다. 교실을 공부하는 공간뿐 아니라 학생들이 살아가는 삶의 공간으로 만들기 위해 여러 면에서 개선이 필요하다.

학교 공간은 수업과 소통 방식에 많은 영향을 미친다. 최근 소통을 활성화하고 다양한 수업을 지원할 수 있도록 학교 공간 혁신 사업이 진행되고 있다. 이는 교실, 복도, 운동장, 도서관, 특별실 등 학교 전반에 대한 공간 재구조화를 의미한다. 그러나 여기에는 오랜 시간과 많은 예산이 필요하여 모든 학교가 당장 실행하기 어렵다는 한계가 있다. 아이들에게 교실은 학습의 공간인 동시에 친구들과 만나고 소통할 수 있는 삶의 공간이다. 학습뿐 아니라 학생들의 상호 작용과 쉼까지 고려할 수 있는 학급 공간 구성에 대한 고민이 필요하다.

이 장에서는 지금 당장 실행할 수 있는 적정 단위로서 교실 단위의 공간 재구성에 대한 고민을 담았다. 작은 팁을 활용해 교실의 공간을 조금씩 바꾸어 간다면 학생들의 상호 작용을 높이고 관계를 증진하는데 도움이 될 것이다. 또 나아가서 수업 방식의 변화에도 영향을 미칠 수 있을 것이다.

학생들이 생각하는 교실

학생들은 교실을 어떻게 생각하고 느끼고 있을까? 인천 D초등학교 학생들과 서울 B여자고등학교 학생들에게 "내가 바라는 교실은 어떤 모습인가?"라고 물어보았다.

먼저 초등학생들은 교실이 '공부할 수 있고 쉴 수 있는 공간', '보드게임 등 친구들과 놀이 할 수 있는 공간', '독서를 하거나 조용히 쉴 수 있는 공간'이었으면 좋겠다고 응답하고 있다. 학습 이외에 놀 수 있는 공간과 쉴 수 있는 공간에 대한 요구가 많았다.

초등학생들이 바라는 교실   고등학생들이 바라는 교실

고등학생들도 바라는 교실 공간을 다양하게 이야기하고 있었다. '편리하고 깨끗하며 쾌적한 공간', '편안하게 쉴 수 있고, 친구들과 단합하여 무언가를 할 수 있는 공간'에 대한 바람이 많았다. 학생들이 바라는 학급 공간의 특성을 물리적인 부분과 정서적인 부분으로 나누어 정리해 보았다.

물리적 공간으로서의 교실 　　　　　　정서적 공간으로서의 교실

초등학생과 고등학생들 모두 교실 공간이 학습뿐 아니라 쉴 수 있는 공간과 친구들과 소통할 수 있는 삶의 공간이기를 바라고 있다. 과거 대가족이 좁은 공간에서 어울리며 살았던 것에 비해 최근에는 가족 구성원의 수가 줄어들고 대개 각자의 방에서 개인의 사생활을 지키며 살고 있다. 그러나 학교는 전체를 위한 공간이 주가 되고 있다. 하루 4시간에서 8시간 넘게 학교에 머물며 정해져 있는 시간표에 따라 온종일 수업에 참여하는 아이들을 생각하면, 쉴 수 있는 공간과 소그룹 단위로 소통할 수 있는 공간이 있으면 좋겠다고 하는 부분이 이해가 간다.

학급 공간의 의미

학급의 공간은 비단 물리적 공간만이 아니라 정서적, 사회적, 심리적 의미가 함께 포함되어 있다. 교실이라는 공간을 어떻게 정의할 수 있을까? '학교의 품격'에서 임정훈은 교실에 대한 다양한 정의를 다음과 같이 제시하였다.[45]

> 교실은 학생들이 안정을 느끼고 자신을 계발하고 축제를 여는 곳이다.
> 조용한 시간을 보내면서도 격렬히 논쟁하고 깊이 탐구하는 곳이다.
>
> — 게롤드 베커, 〈만들고 행동하고 표현하라〉

> 교실이 사회의 수요에만 충실해야 하는 기능적 경쟁 공간일 수만은
> 없다는 사실, 때로는 풋사랑의 공간도 되고 격렬한 다툼과 따뜻한 사
> 교와 우애의 공간이기도 하다는 현실
>
> — 최윤필, 〈겹겹의 공간들〉

교실은 학습을 위한 공간일 뿐 아니라 서로 소통하며 상호 작용하는 생활공간이라고 할 수 있다.

교실 공간에 대한 학생들의 바람

교실을 다양한 상호 작용이 가능한 공간으로 구성하려면 어떻게 해야 할까? 교실 공간에 대해 설문 조사를 한 것처럼 학생들에게 직접 물어보는 방법이 있다. 또, 학생들의 하루일과를 기록하게 하여 학교에서 어떻게 지내고 있는지 살펴보고 학교에서 무엇을 하고 싶은지 쓰거나 그리게 할 수 있다. 다음은 교실 공간에 대한 학생들을 바람을 담을 수 있는 질문 목록이다.

> 1. 쉬는 시간(혹은 점심시간)에 주로 무엇을 하나요?
> 2. 교실에서 친구들과 하고 싶은 활동은 무엇인가요?
> 3. 교실에서 공부할 때, 쉴 때, 친구들과 놀이할 때 필요한 것은 무엇인가요?

---

45) 학교의 품격: 삶이 있는 공간이 되려면 학교는 어떻게 변해야할까?, 임정훈, 우리교육, 2018.

학생들에게 교실 공간에 대한 바람을 물었을 때 초등학생과 고등학생들 공통으로 교실에서 친구들과 함께 게임을 하거나 놀고 싶다는 응답을 가장 많이 했다. 함께하는 친목 활동에 대한 바람을 가장 많이 언급하고 있다.

교실 공간 재구조화

교실과 아이들의 삶을 연결한 여러 보고서 중 서울 창덕여중과 전남 교육청 사례를 참고하였다. 창덕여중의 경우 '배움, 표현, 나눔, 즐김'[46]으로, 전남교육청 학교 공간 혁신 백서에는 '배움, 생활, 놀이, 생태, 마을 연계, 지원'[47] 등으로 학교 공간을 구분하고 있다. 이를 통해 교실을 '배움 공간, 놀이 공간, 휴식 공간, 독서 공간'으로 구분하여 구성할 수 있다.

놀이, 휴식, 독서 공간 사례

인천 K초등학교 1학년 교실 사례이다. 학급에서 필요 없는 부분은 거두어 내고 공간을 확보하여 교실 뒤편 구석에 학생들의 놀이, 휴식, 독서 공간을 마련해 활용하고 있다.

이 교실도 맨 처음 뒤쪽에 2인용 소파와 놀이 매트를 까는 것으로 시

46) 교육부(2019), 학교 공간 혁신 사례2: 서울창덕여자중학교. https://happyedu.moe. go.kr/happy/bbs/selectHappyArticleImg.do?bbsId=BBSMSTR_000000000191&nttId=8950. 행복한교육 2019년 2월호 2022.1.25. 인출
47) 전남교육청(2021), 학교 공간 혁신 백서, https://blog.naver.com/jnehongbo/ 222219013939, 전남교육청 블로그 2022.1.25.인출

작했다. 예전에는 쉬는 시간에 복도에 나가 장난을 치거나 자리에 앉아서 놀았는데 이 공간이 생긴 이후 아이들은 신발을 벗고 편안한 자세로 앉아서 놀이를 하거나 책을 읽을 수 있게 되었다고 한다. 교실 공간 변화로 아이들의 소통과 놀이 방식이 바뀌는 것을 볼 수 있다.

K초등학교 1학년 교실 사례

작은 소품 활용하기

학교마다 처한 환경 등이 다르기 때문에 모든 교실을 위와 같은 사례로 바꾸기는 어려울 수 있다. 그래서 몇 가지 소품을 활용해 작게 시작할 수 있는 방법을 찾아보았다.

돗자리의 다양한 변신

가장 쉽게 활용할 수 있는 것 중 하나는 돗자리이다. 모둠 수대로 구입해 두면 모둠 학습할 때, 쉬는 시간 놀이할 때, 야외 수업이나 학교 소풍의 날 등 다양하게 사용할 수 있다. 신발을 벗고 둘러앉아 친구들과 어울릴 수 있다는 것 자체로도 편안함을 느낄 수 있다.

모둠 학습

학급 행사

식물 활용하기

성장 속도가 빠르고 키우기 쉬운 식물을 함께 키우는 것도 도움이 된다. 식물의 성장을 보며 함께 이야기 나눌 수 있고 환경적으로도 편안한 분위기를 만들어 주기 때문이다. 종종 교실에 꽃을 꽂아두는 것도 간단하게 실천할 수 있는 방법이다. 특히 개학이나 긴 연휴 끝에 꽃을 갖다 두면 학생들이 환대받는 것 같은 마음을 느낄 수 있다.

식물(나팔꽃, 채소 모종 등) 키우기

놀이 공간 만들기

놀이 공간 만들기

쉬는 시간이나 점심시간에 친구들과 함께 할 수 있는 간단한 보드게임이나 블록 등의 놀잇감을 준비해 준다. 작은 캠핑 의자와 테이블을 두고 함께 어울리는 공간을 만들어 줄 수도 있다.

휴식이 되는 공간 만들기

긍정적 타임아웃 공간 사례

요즘 나만의 안식처를 꾸미는 사람들이 늘며 케렌시아라는 말을 종종 듣는다. 케렌시아(Querencia)는 자신만의 휴식처로 회복과 치유, 사색의 공간을 뜻한다. 학교 곳곳에 아이들만의 휴식처가 있다면 좋겠지만 현실적으로 그렇지 못한 경우가 더 많다. 교실에 작은 공간을 만들어 보는 것을 추천하고 싶다.

학급 긍정 훈육법에서는 학생들이 흥분 상태일 때 잠시 감정을 가라앉히거나, 컨디션이 좋지 않을 때 잠시 쉴 수 있도록 교실에 '긍정적 타임아웃' 공간을 마련할 수 있다고 안내한다.[48] 이를 실천한 초등학교 교실 사례를 소개하면 다음과 같다.

인천 H초등학교 교실 사례　　　　　　　서울 K초등학교 교실 사례

---

48) 학급긍정훈육법 활동편, 테레사 라살라, 도디 맥비티, 수잔 스미사 지음, 에듀니티, 2015.

왼쪽 사진은 교실 한편에 돗자리를 깔고 그 위에 작은 책상을 두어 아이들이 잠시 쉬거나 개인 활동을 할 수 있도록 구성한 모습이다. 오른쪽 사진은 감정 상태가 좋지 못한 친구들이 잠시 들어가서 마음을 가라앉힐 때나 컨디션이 좋지 않을 때 들어가서 쉴 수 있도록 마련한 공간의 모습이다.

긍정적 타임아웃 공간 만들기

제주 A초등학교 김찬경 선생님은 긍정적 타임아웃 공간을 만드는 과정을 보여주었다. 먼저 만들 공간을 확보하고, 학생들과 무엇이 필요한지 회의를 통해 정한 후 교실 뒤편 코너에 회복하는 공간을 만들었다.

제주 A초등학교 교실 사례 – 긍정적 타임아웃 공간을 만드는 과정

새로 만든 공간에서 친구들이 함께 놀거나 책을 읽을 수 있다. 이 공간이 생긴 후 쉬는 시간 함께 어울려 놀기도 하고 쉬기도 하며 학급의 분위기가 좋아졌다고 한다.

긍정적 타임아웃 공간은 작은 공간과 적은 비용으로도 아이들이 쉴 수 있는 공간을 만들어 줄 수 있다는 장점이 있다. 학급 내에서 아이들이 쉬면서 친구들과 소통하고 스스로의 컨디션도 조절할 수 있는

공간들에 대해 살펴보니 교실을 소통하고 휴식할 수 있는 삶의 공간
으로 개선하려고 하는 선생님들의 노력이 돋보인다.

학습에 도움이 되는 환경 구성

배움 공간은 교실 전반으로 모둠을 다양하게 배치해서 학생들의 상
호 작용을 도울 수 있다. 물리적 학급 공간을 학생들의 학습에 도움
이 될 수 있도록 구성할 수 있는 방법에는 무엇이 있을까?

우선 학급 게시판과 벽면을 활용하는 방법이 있다. 학급 공간에 대한
학생들의 설문에서 '중요한 공지는 잘 정리해 게시하는 것'과 '학급에
대한 의견을 건의하는 게시판'을 원한다는 응답 등 게시판 활용에 대
한 다양한 요구가 있었다. 학생들은 게시판을 단순히 일방적인 내용
전달뿐 아니라 참여와 소통을 바라고 있기도 했다.

교실 한쪽 공간을 서로의 생각을 공유하는 게시판으로 활용할 수도
있을 것이다. 혼자 생각을 정리하는 것에 그치지 않고 게시판을 통해
생각을 공유하며 문제에 대해 깊게 생각해 볼 수 있다는 의견을 주
기도 했다. 심지어 책상 방향을 바꾸는 것만으로도 상호 작용이 더
욱 활발하게 일어났다.

| 생각 공유 게시판 | 소통을 늘리는 책상 배치 |

모둠 활동을 통해 함께 배우는 것도 도움이 된다. 어려운 내용이나 새롭게 공부하는 내용은 개별 학습이 더 효과적일 수 있지만 익히고 다지는 내용은 친구들과 협동하며 활동할 수 있도록 구성하면, 다른 친구들의 수행을 보면서, 또 협력하며 큰 배움이 일어날 수 있다.

미술 작품 피드백

생각 모으기

모둠 활동 피드백

학급 공간을 활용하여 서로 수행해낼 수 있는 범주의 활동들을 함께 한다면 사회 촉진이 발생할 수 있다. 소통이 잘 이루어지는 학급 공간을 구성하면 학습 효과뿐 아니라 다양한 방면에서 긍정적인 변화가 나타난다. 상호 작용이 촉진되는 공간에서는 의사소통이 활발해진다. 소통이 활성화될수록 학급 구성원 간에 친밀감과 신뢰가 쌓여 학급 응집성이 높아지게 된다.

학교나 교실 상황이 각기 다르기 때문에 하나의 사례가 다른 상황에서도 모범답안이 된다고 할 수는 없다. 다만 여러 사례에서 작은 부분이라도 아이디어를 얻어서 우리 교실에 맞게 수정해 적용하면 어떨까? 한꺼번에 모든 것을 바꾸려 하기보다는 작은 것이라도 지금 시작해서 꾸준히 실천해 나가는 것을 권하고 싶다.

학급 집단 심리 51가지 지혜와 실천, 현장에서 적용해보기

조교금

실제 학생들의 이야기

초중고 학생들 300명에게 '인기 있는 아이들'과 '인기 없는 아이들'의 특징에 대해 설문과 인터뷰를 진행했다. 다음은 설문과 인터뷰 결과를 워드 클라우드로 정리한 내용이다.

인기 있는 아이들의 특징   인기 없는 아이들의 특징

출처 : 설문기간 2020.12.26(토)~2021.01.13(수), 서울경기초중고 학생, 네이버 설문폼을 이용
"친구들 사이에서의 우정에 대한 단상"이란 주제로 15개 질문문항으로 진행

인기 있는 아이들의 특징으로는 '성격, 친절한 말투, 유머, 책임감, 긍정적, 배려'의 키워드들이 중요하게 자리 잡고 있다. 또래들이 생각했을 때 인기 없는 아이들의 특징으로는 '부정적, 공격, 시끄러움, 고집'에 대한 키워드들이 크게 보인다.

리더십에 대해서도 물어보았다. 리더십을 평가할 때 능력보다는 성격을 우선 고려한다는 답변이 많았다. 성격과 능력 중에서는 성격, 똑똑한 아이보다 수용적 아이가, 먼저 하는 아이보다 양보하는 아이가 리더가 될 가능성이 크게 나타났고, 인기가 있는 아이 중에서 리더가 되는 아이는 정서적 요소에서도 공감성이 크다는 것을 알 수 있었다.

우정과 만남에 대한 이야기

인기가 어른의 기대와 동일하게 일어나지 않듯이 우정도 어른의 주문에 의해 생기지 않는다. 교사는 아이가 또래 안에 수용될 수 있는 방법을 가르치고 그런 기회를 많이 만들어 우정 형성에 도움이 될 수 있게 도울 뿐이다.

모든 아이들은 자신과 비슷한 아이들을 찾는다. 유유상종이라는 가장 중요한 또래 수용의 법칙이 발현되도록 아이들에게 비슷한 점을 찾을 수 있는 기회를 많이 제공하는 것이 정말 중요한 부분이다.

수용의 기회는 장기자랑 시간이나 학급별 이벤트로 자기 자신을 드러낼 수 있는 시간에 많이 주어진다. 자신이 속한 또래 집단으로부터 수용과 인정을 받는 학생은 긍정적인 자아 개념과 사회성 발달, 사회적 기술의 습득을 증진하게 되고 일상생활에서 안정감을 갖게 된다. 반면, 소외나 배척을 당하는, 거부되는 아이는 부정적인 자아 개념을 형성하고 또래 관계에서 위축감을 느끼며 사회적 기술을 발달시키고 실행할 기회를 갖지 못한다. 그 결과로 사회적으로 적절한 반응을 하는데 어려움을 경험할 수밖에 없다. 따라서 학급에서 나와 비슷한 아이를 찾고 또래 관계를 유지하게 도와주는 활동 등은 매우 유의미하다.

하지만 또래 집단에 소속되거나 수용되지 못하고 거부나 무시를 경험한 아이 모두가 사회 부적응 현상을 일으키는 것은 아니다. 또래 수용 정도가 낮은 아이라도 단짝 친구가 한 명이라도 있는 경우에는 외로움이나, 우울, 학교 부적응 등의 부정적인 결과가 완화된다는 연구 결과들은 또래 관계의 유지와 또래 관계의 수뿐만 아니라 또래 관계의 질적 측면 또한 중요한 요소임을 말해준다.

학급에서 동일시와 수용이 확대된다면, 학급은 점점 차이로 인한 위계나 질서 보다 서로 격려하고 수용하는 협력적인 모습으로 변할 거라는 희망이 현실이 되어갈 것이다.

학급에서 교사는 무엇을 준비해야 할까?

반 분위기를 좋아지게 하려면 수용하는 분위기, 차이를 줄이는 분위기를 추구해야 한다. 교실 속 1학년 친구들에게도 놀이에 모둠별 경쟁을 시켜 보상을 주면 굉장히 집중한다. 그러나 놀이가 끝난 후 승리한 팀 이외에는 놀이 자체에 대한 즐거움이 남지 않고 이후 반복적으로 진 아이들은 놀이 참여를 거부하기도 한다.

경쟁 대신 협력 과정에서 느끼는 즐거움을 강조하고, 보상은 주지 않거나 만일 주더라도 공평하게 나누면 모두가 즐겁게 참여할 수 있다.

관계 중심, 공감 중심, 민주적인 교육을 통해 아이들이 행복하고 자발적이고 풍요로워지는 삶을 살게 할 수 있다.

학급의 학생들이 최대한 수용될 수 있는 분위기를 만들기 위해서는 거부되는 특정 행동을 하더라도 덜 혼나는 분위기 속에서 수용과 지지를 받아야 한다. 의도적 짝꿍 만들어주기. 감정 나누기. 역할극 하기 활동들 속에서 그 친구가 자연스럽게 받아들여졌을 때 모든 아이들과 학급은 더 성장한다.

교사로서 어떻게 하면 학급에서 슬픔과 차이를 끌어안고 수용할 수 있을지 고민해보자. 희망적인 교실을 만드는 첫발이 될 것이다.

'학급을 공동체로 변화시키는 51가지 지혜'를 다 실천하면 좋겠지만 욕심을 내면 한 가지도 제대로 하기 쉽지 않을 수도 있다. 그 중에서 우선 좀 더 잘할 수 있는 것을 선택해서 학급 운영에 적용해 보자. 이 지혜를 활용하면서 선생님들만의 것으로 발전시켜 나가는 것이 중요할 것이다. 51가지 지혜 중에 저자가 주로 중점을 두고 학급을 운영해 온 사례를 나누고자 한다.

함께 나눌 지혜 : 교사는 집단의 리더다. "우리 반은 하나다"

교사는 자신이 맡은 반의 리더라는 생각을 가지고 일 년 동안 아이들 개인은 물론이고 학급 집단의 성장을 위해 노력한다. 이를 위해 학급 아이들의 생일을 공유하고, 축하한다. 또한 하루의 시작을 아침 리듬 활동으로, 하루 일과의 마무리는 마침시와 감사 인사를 나누며 우리 반만의 루틴을 만들어간다.

학급은 함께 모여 배움과 우정을 쌓아가는 또래들의 집단이며 의미 있는 관계이다. 학교생활 전반을 연결하는 활동들로 씨실과 날실을 엮듯 동료 교사들과 일 년을 계획하고 실천하는 이 땅의 선생님들은 모두 집단의 리더다.

함께하는 생일 맞이

아침 리듬 활동, 계절 노래

마침시와 감사 인사

함께 나눌 지혜 : **소속시켜라. 그러면 행복해 질 것이다**

아이들은 자신을 소개할 때 대부분 몇 학년 몇 반이라는 이야기로 시작한다. 그만큼 학교 안에서의 정확한 소속이 아이들의 정체성 형성에 중요하다.

아이들과 함께 학년 반의 자긍심을 갖도록 하는 학기 초 활동과 인사 나누기는 중요하다. 유튜브 영상에서 모든 아이들과 색다른 인사법으로 인사하는 사례를 접한 적이 있는데 우리 학급에서는 요일별 아침 인사로 학급 소속감과 응집력 향상에 도움을 주고자 한다.

- 교실에 들어올 때 함께 나누는 인사

  월요일 : 힘내! 넌 잘할 수 있어.

  화요일 : 걱정 뚝! 언제나 도와줄게.

수요일 : 너는 정말 괜찮은 사람이야.

목요일 : 네가 있어 정말 행복해.

금요일 : 너에게 좋은 일이 생길 거야.

이 인사를 반복하다 보면 알게 모르게 우리 안에 힘이 생기고 있다는 것을 느낄 수 있다.

교실은 안전해야 한다. 물리적으로도 심리적, 정서적으로도 안전해야 아이들은 자신을 드러내고 관계를 맺고 배우고 나눔을 실천할 수 있다. 교실이 안전하게 느껴질 수 있도록 작은 계절 탁상을 교실 한편에 두어 때론 쉬거나, 수다를 떨거나, 상담하는 자리로 활용한다. 다양한 활동들로 아이들에게 함께 참여할 수 있는 기회를 주면 소속감은 더 강하게 형성되고 긍정적인 학급 문화 형성에 도움을 준다.

요일별 아침 인사　　　　환대의 안전기지　　　　함께하는 다양한 활동

함께 나눌 지혜 : **모든 아이들은 자신과 비슷한 아이들을 찾는다**

글똥누기 활동은 교사가 만들어준 백지 노트에 똥을 누듯 시원하게 글을 쓰는 활동이다. 일기 쓰듯 일상을 나누는 글을 쓰기도 하고, 자기 마음을 표현한 동시를 옮겨 쓰기도 하며, 책을 읽은 소감을 표현

하기도 한다.

아이들은 처음에는 주저하다가도 점점 더 시원하게 자신의 느낌이나 생각을 표현한다. 그리고 발표할 기회가 생기면 서로 나눈다. 발표하는 과정에서 서로 비슷한 느낌이나 생각이 들면 아이들은 그 자체로 안심하기도 하고 좋아하기도 하며 재미있어 한다.

아이들은 수업에서 선생님들이 주도하는 여러 발표 활동에서 다양한 관계 맺기를 시도한다. 그 활동들을 학급의 수용력을 넓혀나가는 과정으로 확대한다면 아이들의 성장과 교사의 성장을 함께 가져올 수 있을 것이다.

글똥누기 - 일상

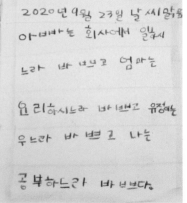

글똥누기 - 마음

함께 나눌 지혜: 교사의 집단 응집력 유지 – 지금도 잘하고 있다! 모두들 잘하고 있다!

집단 응집력 향상을 위한 대표적인 활동으로 운동회, 합창 대회, 발표회 등을 꼽을 수 있다. 많은 선생님들이 이미 하고 있는 활동이다.

이런 활동을 준비하고 경험하면서 아이들은 스스로 도전 정신을 배우기도 한다. 자신의 순서를 기다리거나 연습을 하는 과정에서 인내도 배운다.

친구들과 맞추어 가며 갈등하기도 하고 의견을 조율하기도 한다. 성격이 급했던 친구도 또래 관계 속에서 기다림을 배우게 되고, 나만 먼저를 외쳤던 친구도 조율과 협동을 배우게 되는 순간이다. 물론 이런 활동들이 힘들기도 하고 많은 일을 만들기도 하지만, 하고 나면 '우리가 뭔가 해냈다'라는 뿌듯함과 함께 집단의 성취감을 느낀다. 이는 학급에 대한 매력을 느끼게 하는 요인으로 작용함으로써 소속감과 응집력을 강화한다. 이 과정을 거치며 아이들은 학급에 더욱 협조하게 되고 개인적 자기 존중감까지 높아지는 선순환이 이루어진다.

운동회   체험 활동

집단 응집성은 학급 아이들을 뭉치게 하는 힘을 지니고 있다.

단조로운 공장에서 일하면서도 농담, 수다, 식사, 간식 등 서로를 보살피는 대화와 관계로 이루어진 바나나 타임이 생산성을 높인다고 했다. 더불어 특정 통과 의례들이 그 집단의 소속감을 좋게 하고 응집력을 가져 올 수 있다는 이야기도 있다. 아이들에게도 그렇다. 아이들과 나누는 추억이 많으면 많을수록 집단 응집성은 커질 수밖에 없다. 그 중에서 먹을 것을 나누어 먹는 것은 특히 아이들 기억에 오래 남는다. 초등학교 1학년의 입학 100일 축하식을 하며 간식을 나누어 먹거나, 계절별 절기별로 음식을 나누어 먹는 학교들이 점점 늘어나고 있다. 봄에는 화전, 여름에는 수박화채부터 아이스크림까지, 가을 농민의 날에는 가래떡이나 잡곡꾸러미, 겨울에는 동지팥떡이나 팥 양갱 등 그 종류도 다양하다. 음식 나누기를 즐거워하는 것은 중고등학생도 예외는 아니다. 음식 나누기나 행사 등을 통해 친구들과 추억을 많이 만들어 간다는 것이 얼마나 소중한지 알 수 있다.

100일 축하 나눔

복날음식, 단오음식,
곡물동지, 나눔음식

단오 장명루 - 절기협동

함께 나눌 지혜 : **"우리 반은 좋은 친구들이 많이 모였다, 모두가 좋은 사람들이다."**

함께 하는 경험이 늘어날수록 아이들은 어느새 조금씩 닮아간다. 물론 그룹별로 친한 정도의 차이는 있지만 서로가 협력적이고 수용적인 분위기에서 우리 반의 정체성이 생기기 시작한다.

이럴 때 교사의 추임새는 "우와! 우리 반 친구들은 정말 좋은 친구들이구나. 모두가 좋은 사람들이다"라고 말하는 것이다. 아이들은 다시 그런 피드백에 힘을 받으며 집단 정체성을 획득해가고 서로를 닮아가려고 하며 이는 긍정적 순환 작용을 한다.

염색, 도자기, 쿠키, 연극, 뮤지컬, 생태, 미술, 음악 등 영역별 문화 체험 활동들과 연결 지어 학급에서의 경험을 높이는 것도 좋다. 일 년의 흐름 안에서 절기 행사들과 연관 지어서도 아이들과 많은 경험을 쌓을 수 있다.

예를 들어 단옷날에는 장명루를 만들며 아이들의 건강을 함께 기원할 수 있고, 동짓날에는 동지에 대한 옛이야기를 하며 팥죽의 의미를 나누기도 한다. 계절별, 학기별, 절기별, 영역별 행사들을 함께 경험하며 추억을 쌓아가는 과정 속에서 아이들은 서로 좋은 사람이 되려고 노력한다.

12월 마지막은 아나바다 활동으로 마무리 하면 좋다. 아껴 쓰고 나누어 쓰고 바꾸어 쓰고 다시 쓰기로 학급 또는 학년 장터를 열어 물건을 교환해보는 체험을 통해 스스로 기획하고 물건을 팔고 사는 경험을 나눈다.

100일 축하 행사

계절별, 학기별, 절기별, 영역별 행사

크리스마스 행사

많은 학교에서 이 활동을 하고 있다. 필자의 반은 아나바다를 통해 얻은 수익을 아이들이 회의를 통해 기부한 적이 있다. 이때 당시 아프리카에는 염소 4만 원이라는 노래처럼 염소를 사서 보내는 프로젝트가 있었다. 아이들 이름으로 염소를 보낸다 하니 아이들은 스스로 대견스러워했다.

그리고 크리스마스 우체국에 함께 편지를 보내 핀란드 산타로부터 모두 답장을 받는 경험을 학생들은 매우 소중한 추억으로 간직하고 있다고 했다. 함께 추억할 경험이 많아지면서 공유되고 수용되는 것이 많아지고 우리는 서로에게 좋은 친구들로 남게 된다.

함께 나눌 지혜: 아이들은 무리를 지어 존재한다 - 집단 구조의 변화 - 다양한 또래 집단과의 만남 유도 - 동일시와 수용

'학급은 무리의 합이다. 둘이 다닌다, 파벌이 있다. 그리고 혼자 다니는 아이들도 있다. 학급 내 여러 관계 형태가 있다.' 교사가 그것을 알아차리는 것이 중요하다.

쉬는 시간이나 자유 놀이시간, 하교 시간, 방과 후 시간에 아이들을 조용히 관찰해보면 아이들의 관계를 자연스럽게 파악할 수 있다. 혼자 다니는 아이를 발견했다면 교사가 직접 개입할 수도 있다. 수업 시간에 다양한 관계 맺기를 시도하는 것도 혼자 다니는 아이들의 관계 형성에 도움을 준다.

둘이 함께, 넷이 함께, 여섯이 함께, 때론 찬반 토론일 때는 두 그룹으로, 세 그룹으로, 놀이 상황일 때는 더 유동적인 집단 변형으로 다양한 관계 맺기를 시도하면 아이들은 조금 더 폭넓은 친구 사귀기와 수용을 배울 수 있을 것이다. 예를 들어 짝을 정할 때 제비뽑기, 속담이나 영화 제목 또는 주인공을 이용한 자리 배치, 홀수 짝수 자리 배치, 랜덤 배치 등 여러 방법을 활용할 수 있다.

자리 배치의 의미에 대해 충분히 설명하고 아이들이 함께 받아들이며 할 때 더 즐거운 관계 맺기 활동이 될 수 있으며 새롭게 자리 배치가 되면 새로운 짝과 만나는 것을 전제로 짝 놀이 활동을 하는 것이 좋다.

둘이 함께 　　　　　　 넷이 함께 　　　　　 다양한 함께의 시도

함께 나눌 지혜 : 다 같이 하면 더 잘하는 일과 혼자 하면 더 잘하는 일은 다르다

아이들과 교실 속 다양한 활동을 하다보면 혼자 하면 더 좋을 일과 함께 하면 더 좋은 일들이 있다. 여름철 물 풍선, 물놀이는 함께 여럿이 해야 제 맛이다. 물총 놀이도 마찬가지다.

같은 실 놀이라고 해도 나뭇가지를 겹쳐서 만드는 거미줄 실 놀이는 혼자 하는 것이 좋고 줄넘기 만들기 놀이는 친구들과 같이 해야 조금 더 잘하는 친구들이 생기기도 한다.

반에서는 수학 문제풀이를 할 때 소그룹 친구와 이야기하면서 해야 꼭 더 잘하는 친구들이 있어서 때때로 소그룹 꼬마 선생님을 두어 수업을 진행하기도 한다. 지금 상황에서 할 수 있는 최선의 방법들을 찾아나간다면 그것이 가장 좋은 방법일 수 있을 것이다.

실 놀이

거미줄 실 놀이

함께 나눌 지혜 : 일이 중요한 것이 아니라 집단 내의 관계가 더 중요하다
담임교사로서 때론 과제 완성도를 중요하게 여길 때가 있다. 하지만 지나고 나면 과제 완성도보다는 관계가 중요했을 때가 많았던 것 같다. 아이들과 함께 한 숲 놀이, 색 놀이, 흙 놀이에서도 그랬다. 숲에서 얼마나 많은 식물과 곤충을 관찰하고 기억하느냐보다 친구들과 함께 자연을 잘 느끼고 즐겼느냐가, 색에서는 표현과 색감을 정확하게 나타냈느냐 보다는 이야기를 듣고 자신의 느낌을 정성껏 표현하며 참여했느냐가, 흙 놀이에서는 작품의 완성도를 높이는 것보다 아이들 작품 간의 연결고리를 어떻게 만들고 이야기를 만들어보고 감상하는냐가 중요했었다.
일이 중요한 것인가? 과제의 완성도가 중요한 것인가? 관계가 중요한

것인가? 혹 고민이 되는 순간이 오면 잠시 멈추고 생각해보는 시간을
갖길 바란다.

| 숲 놀이 | 색 놀이 | 흙 놀이 |

함께 나눌 지혜 : 갈등을 협력으로 푸는 방식을 가르치고 권해야 협력이 늘어난다

학생들은 갈등을 푸는 여러 활동들을 통해 솔직한 자기 표현을 하게
되고 자기 자신을 알게 된다. 더 나아가 서로에 대해 알게 되고 이해
하게 되며, 공감이 일어나고, 협력하게 된다. 그 활동의 시작으로 서로
의 감정을 알아가고 나누는 시간을 갖는다. 감정을 알아가고 나누는
과정에서 서로 다르지만 소중한 존재라는 것을 확인하게 되고, 그 누
구에게도 함부로 대하지 않게 된다.

"나는 친구가 옆에서 나를 밀 때 속상해", "내가 작아지고 여기에서
쫓겨나는 것 같아"라는 자신의 솔직한 감정을 말할 수 있게 도와주
고, 그 감정을 상대 친구가 듣고 또 그 감정을 나누다 보면 갈등이 사
라지기도 한다.

우리들이 정말 지켜야 할 존중의 약속을 정하는 것도 갈등을 협력

으로 푸는 중요한 활동이다. 그 약속의 내용과 개수는 최소한으로, 책임은 최대한으로 지키기 위한 노력을 모든 학생들과 나눈다. 그리고 교사가 매번 그 약속을 지키게 독려하는 것보다 친구들이 서로 격려해주고 응원해주며 약속을 지킬 수 있게 돕는 것도 협력의 과정이 된다.

아이들은 일상적으로는 서클 활동을 한다. 모두가 동그랗게 모여 앉아 같은 눈높이에서 서로를 바라본다. 그리고 원으로 둘러앉은 서클 안 모든 친구들이 평등한 존재로 서로에게 귀 기울인다. 처음에는 원을 만드는 것이 어색했던 친구들도, 삐죽삐죽했던 원들도, 점점 서로가 서로를 돌보며 정말 원이 되어가는 것도 협력을 배우는 순간이다. 친구들이 모여 서로의 마음을 열고 대화하는 것도 처음에는 서툴고 어색하다. 지속적이고 정기적인 활동을 통해 서로를 이해하고 서로에 대하여 갖고 있었던 편견을 버린다. 나아가 자신의 긍정적인 모습을 발견할 수 있는 계기가 마련되기도 하는 순간들이 온다. 때론 그냥 둘러앉아서, 말하고, 들어주는 것만으로도 충분한 위로와 갈등이 해결되는 순간이 되기도 한다.

감정 알아가기

존중의 약속

서클 활동

함께 나눌 지혜 : 함께 어울리는 것을 좋아하는 문화가 형성된 학급이 좋은 성과를 낸다

'놀이가 밥이다'라는 말이 있다. 밥이 소중한 만큼 아이들에게는 놀이가 중요하다는 의미이다. 놀이는 반 분위기를 좋아지게 하는 활동이기도 하다. 다양한 놀이를 통해 아이들은 함께 어울리는 즐거움을 맛보게 된다. 마음을 나누며 알아가는 마음 놀이, 몸으로 익혀가는 몸 놀이 등 여러 놀이 속에서 아이들은 규칙을 배우기도 하고 협력을 배우기도 한다. 놀이를 통해 서로 모이는 것이 즐겁고 함께 어울리는 것이 좋다 보면 긍정적인 학급 문화 형성에도 도움이 된다.

마음 놀이   몸 놀이 활동   서클 놀이 활동

함께 나눌 지혜 : 혼자 해도 멋진데 다 같이 하면 더 멋진 것이 나온다

또래와 또래와의 협력이 서로에게 힘을 주고 더 멋진 성과를 내기도 한다. '함께 해요' 프로젝트는 과학 행사나 문화 체험 시 짝을 지어서 했던 활동이다. 서로 짝과 다니며 미션을 수행하는 활동들이었는데 아이들은 혼자 할 때보다 함께 해서 더 쉽고 즐거웠다고 했다. '새싹 민주 시민되기'는 교과 수업 중에 환경과 연결해서 진행한 프로젝트 활동이다. "자연과 친하게 지내고 싶어요", "봄에 황사로 마스크 쓰는 일이 없었으면 좋겠어요", "맘껏 뛰놀 수 있는 환경이 되면 좋겠어요"

라는 아이들의 이야기에서 시작되었다.

그럼 지금 여기에서 우리들이 할 수 있는 일이 무엇일까를 고민하다가 각 가정에서도 함께 실천할 수 있는 일들을 액션 플랜으로 만드는 것으로 확장했다. 학급 안에서만이 아닌 아이들을 가정으로까지 연결한 것이다. 가족과 함께 액션 플랜을 만들고 실천하는 것은 정말 기대 이상의 멋진 결과를 이끌어 냈다.

마지막으로 '형제 반' 프로젝트는 1학년과 6학년이 의형제 반이 되어 서로가 서로를 챙겨주는 활동이다. 1학년 입학식에 6학년이 인솔해주고 6학년 졸업식에는 1학년 친구들이 축하의 꽃다발을 만들어 전해준다. 형제 반끼리 놀이 활동을 함께 하기도 하고 책을 읽어주기도 한다. 1학년 친구들에게는 최고 학년 선배들을 알게 되었다는 기쁨이 생각보다 크다. 학교나 동네에서 마주치기라도 하면 아는 언니 오빠들이라며 신나하는 모습에서 함께 해서 멋진 또 하나의 활동이 생겨났다.

 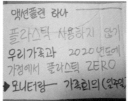 

'함께 해요' 프로젝트 '새싹 민주 시민되기' 프로젝트 '형제 반' 프로젝트

함께 나눌 지혜 : **아이들에게 다른 사람이 잘할 수 있도록 돕는 능력을 강조하면 반의 팀워크가 향상된다**

독서는 혼자만 하는 것일까? 독서를 할 때 혼자 읽는 것으로 그치지 않고 한 권의 책을 모두가 읽고 질문을 나누는 공통 독서 과정을 진행하기도 했다. 학년이 같이 읽을 책을 선정해 함께 읽는 과정이다. 개인의 독서로 끝나는 것이 아닌 내 옆의 짝과 함께 읽어나가고 우리 반이 읽고, 학년이 읽어나가는 것을 서로 격려하고 응원하면서 아이들은 서로 힘을 받고 힘을 내기도 했다.

혼자 전력 질주해 결승선에 도달하는 달리기보다 다함께 결승선에 도착하기 위해 호흡과 발걸음을 맞춰가는 공동의 활동 속에서 아이들은 한뼘 더 성장할 수 있었다. 그런 문화가 형성되면 1학년 친구들도 자기 활동이 끝나면 자연스럽게 이야기 한다. "누구 도움이 필요한 사람?" 그럼 다른 자리의 친구가 "어 나, 나 좀 도와줘"라고 응답한다. 그럼 서로 즐겁게 다가가 기쁘게 도와준다. 도움을 주는 친구도 설명하는 과정에서 배움이 일어나고 도움을 받는 친구도 더 잘 이해하고 기쁘게 배운다. 그런 모습을 바라보는 것만으로도 참 예쁘다.

학년도 함께 읽는 책, 공통의 독서-책읽기　　　　옛이야기 주인공들

함께 나눌 지혜 : **자주 보고 대화를 나누는 것이 갈등을 줄이는 방식이다**

아이들과 자주 모이고, 대화를 나누다 보면 서로에 대해 알게 되는 것도 많아지며 이해할 수 있는 것도 많아진다.

'나의 가족 동물화'는 나의 가족을 동물로 표현하여 이야기를 나누는 시간이었다. 아이들은 재미있게 참여하면서도 특징을 잘 묘사해 주었다. 아이들의 가족 관계 내에서의 역동을 살펴볼 수도 있고, 조금 더 관심을 가져야 할 친구에 대한 정보를 얻는 과정이기도 했다. 가족 행사를 함께 만들며 나누는 것도 마찬가지이다. 가족 형태에 대해 자연스레 알아갈 수도 있고 아이들이 서로 공통점과 차이점을 발견하는 기회가 되기도 했다.

'밥상이 우리에게 오기까지'는 급식 전에 부르는 노래와 이야기이다. "밥은 하늘입니다. 하늘을 혼자서 못 가지듯이 밥은 서로 서로 나누어 먹는 것 먹는 것" 이 노래를 부르기 전 밥상이 우리에게 오기까지의 여정에 대해 나눌 기회를 갖는다. 밥상에 오르는 음식들을 대상화하는 것이 아니라, 사람의 노고가 함께 했음을 이야기 나눈다. 그 과정에 대해 나누고 나면 반찬을 많이 남기거나, 편식하는 것을 조금은 줄일 수 있다.

아이들과 교실 수업 속 교과에서, 생활 교육에서 그 어디에서든 자주 대화를 나누는 것은 갈등을 줄이는 좋은 방법이다.

나의 가족 동물화   우리 가족 행사   밥상이 우리에게오기까지

함께 나눌 지혜 : 반 분위기를 좋아지게 하려면 수용하는 분위기, 차이를 줄이는 분위기를 추구해야 한다

카프라 활동을 할 때 존재감을 드러내는 친구가 있는가하면, 공기놀이를 잘해 어깨가 으쓱해지는 친구도 있다. 딱지 접기나 팽이치기를 할 때 유난히 눈이 반짝이는 친구가 있는가하면 사방치기를 할 때 실력을 발휘하는 친구도 있다. 미술 활동을 할 때 기뻐하는 친구가 있는 반면 노래 부를 때 더 흥겨워하는 친구가 있다. 수학 문제를 풀 때 상기되는 친구도 있고, 발표할 때 즐거워하는 친구도 있다.

다양한 활동의 기회를 주며 다양한 성공 경험들을 나눈다면 서로가 서로를 수용하는 분위기는 확대된다. 경쟁적인 상황에서는 반 분위기가 협력적이거나 수용적이기 어렵다.

경쟁이 아닌 존중의 방식, 수용과 지지 격려가 지속된다면 학급에서 수용되기 어려웠던 친구들도 점점 친구들에게 수용되고, 동화되어 가면서 관계를 맺는 경험을 해나가게 될 것이다.

예를 들면 부정적이거나 공격적인 친구들, 무시당하는 친구들, 위축된 친구들에게 성공에 대한 다양한 기회를 제공하면서, 그 경험이 좋은 자극이 되어 자신감을 갖고 변화의 계기를 만들 수 있는 또 하나의 경험이 되는 것처럼 말이다.

반 분위기를 좋아지게 하는 선생님들의 마법과 같은 말 "우리 반은 정말 좋은 친구들이 함께 하는구나", "우리 반은 너무 좋은 반이야." 이 속에서 아이들은 서로에게 더 좋은 사람이 되기 위해 노력할 수 있다.

함께 나눌 지혜 : **또래들 사이에서 인정받고 수용되어 자신의 매력이 향상되었다고 느끼는 것이 학생을 향상시킨다**

- 내가 만든 나의 성장표 - 친구가 써준 나의 성장표 - 내가 만든 학급 성장표 - 선생님이 만든 나의 성장표		학기에 두 번정도 주제를 정한 뒤 9칸 빙고, 16칸 빙고, 25칸 빙고 활동 후 공유
학기 별 4장의 성장표	나의 의견, 친구들의 의견	일 년 살이 빙고놀이

초임 발령 시절 아이들이 어떻게 하면 나를 잘 따르게 할 수 있지를 고민하다가 스티커를 활용한 적이 있다. 각 영역을 다양하게 정해놓고 잘하는 아이들에게 보상으로 스티커를 주었다.

"난 스티커 모으기가 힘들어요." 한 아이의 울먹거림으로 스티커 보상에 대해 생각해 보았다. 그때 함께 읽었던 책이 '나쁜 어린이표'였다. 어떤 특정 행동에 대해 보상으로 스티커를 주던 교사와의 관계에서 지치고 힘들었던 어린 주인공은 선생님에게도 스티커를 주기 시작한다. '나쁜 선생님표' 스티커.

그때 그 친구의 마음이 어땠을까를 고민하며 시작한 것이 내가 만든 나의 성장표와 친구들이 함께 써주는 나의 성장표다. 교사가 바람직한 행동이나 기준을 정해놓고 그에 따르느냐 아니냐로 특정 행동을 강화하는 것이 아닌 스스로나 친구들이 일 년 동안 어떻게 성장했는지를 바라보고 써주는 방식으로 변경했다.

내가 쓰는 나의 성장표는 학기에 한 번 자신이 자신을 돌아보며 써주는 편지글이다. 친구들이 써주는 나의 성장표는 롤링페이퍼 형식으로 ㄷ자 형식으로 자리 배치 후 모두 옆으로 돌리며 성장 위주의 글을 써주는 방식이다. 아이들은 진지하게 참여하며 이 페이퍼를 소중하게 생각한다.

교사도 아이들에게 성적표를 받는다. 편지 형식으로 부탁하고 싶은 부분, 잘한 부분, 더 필요한 부분에 대한 피드백을 받는다. 아이들이 써 주는 글이 그 어떤 평가보다 중요하게 다가온다.

그렇게 학기 별 4장의 성장표를 받는다. 아이들은 소중하게 읽어가며 서로가 성장했음을 발견하고 기뻐한다. 그리고 이것을 나누는 과정에서 수용의 폭도 넓어진다.

'일 년 살이 빙고놀이'는 학기에 두 번 정도 한다. 주제를 정한 뒤 9칸 빙고, 16칸 빙고, 25칸 빙고 활동 후 서로 겹치는 부분이 많을수록 공감대 형성을 확대하는 활동이다.

아이들이 이런 활동 속에서 자기 자신의 성장도 돌아보게 되지만 서로의 성장도 받아들이고 축하해줄 수 있어 자존감 형성에도 도움이 된다.

함께 나눌 지혜 : 좋은 의사 결정은 좋은 의사 결정 프로세스에서 나온다

- 학급 행사 사전 안내
- 사전 정보 투명 공개
- 불편한 마음 나누기
- 감정이나 의견 나누기
- 감사 나누기 활동
	- 사전 논의 자료
	  의견 수렴
	- 논의 결정과정의
	  민주화
	- 사후 논의 결정결과
	  공개
		- 경청과 나눔
		- 의견 수렴과 반영
		- 솔직한 정보 공개 및
		  고민 나눔

학급, 학년 다모임	학교 다모임	학부모 다모임

다모임은 좋은 의사 결정 프로세스이다. 민주적인 의사 결정과정이기도 하다. 학급, 학년, 학교, 학부모 다모임들이 있다.

다모임에서는 사전에 안건이나 이야기할 주제를 공유한다. 그리고 알아야 할 정보가 있으면 미리 제공한다.

다모임에서도 여러 형태로 의사 표현할 수 있게 돕는다. 학년끼리 모일 때도 있고, 학년에서 한 명씩 모여 여러 학년의 이야기를 나누기도 한다. 전체가 모여서 모두의 이야기를 듣기도 한다. 그리고 중요한 것은 논의 결정 과정이 민주적이라는 것과 사후 결정된 부분과 과정을 공개하고 정한대로 실행한다는 것이다.

학교마다 의사 결정 구조의 차이는 있지만 궁극적으로는 민주적 의사 결정 과정을 만들어가야 하는 것이 우리가 갈 길이기도 하다. 그 과정이 더딜 수는 있지만 교사에게도 아이들에게도 더 큰 성장을 가져올 수 있을 것이다.

지금까지 선생님들과 교실 속 활동을 학급심리학을 통해 살펴본 지혜로 재조명해 보았다. 아이들과 함께 늘 열정적으로 살아가시는 선생님들의 노곤함을 안다. 그럼에도 불구하고 아이들에게 조금이라도 더 행복할 시간을 선물하고자 노력하시는 선생님들과 함께여서 행복하고 감사하다.

학교 공동체에서의 분열과
투사적 동일시[49]

김현수

• 발달상의 과제를 성취해나가고 있는 청소년을 대상으로 한 공동체에서는 정신 분석적 이론의 훈련이 도움이 된다. 특히 집단의 분열과 이로 인한 갈등이 자주 일어나는 청소년 집단은 흔히 모델이 될 만한 집단경험으로 자주 언급되며, 정신 분석적 해석을 통해 이해하는 견본이 되기도 한다.

• 청소년 집단의 갈등을 줄이기 위해서는 각 청소년들의 발달적 특성을 이해하고 발달 수준에 맞게 반응하는 것이 중요하다. 각 가정이나 사회에서 발달적 특성을 이해받지 못하거나 과도한 과제를 요구받던 청소년들은 이 스트레스를 개인적으로 해소할 뿐 아니라 집단을 통해서도 해소한다. 청소년의 고통이 집단에 드러날 때, 교사들의 공동체가 이에 대한 준비가 되어 있으면 이런 어려

---

49) 역동정신의학. 글렌 가바드, 하나의학사, 2016.

움에 도움을 제공할 수 있다.

- 학교 공동체는 아이들에게 사회적 지지와 공감적 거울 기능을 해주는 것을 통하여 도움을 줄 수 있고, 발달 단계에 맞는 적절한 요구를 인정해주는 환경을 조성함으로써 치유적 모델을 제공할 수 있다.

- 교사 공동체가 학생 집단에게 현실 검증, 충동 제어, 이상과 현실의 구별, 학습 동기 부여, 정체성 확립, 비전 탐색과 같은 심리적 작업을 어떻게 안전하게 제공하느냐, 그리고 학급이라는 환경 하에서 이런 작업을 안전하게 친구들과 함께 할 수 있느냐가 중요한 과제다.

- 하지만 학생들은 학교에서 지금 현재의 갈등만 되풀이 하는 것이 아니라 과거 가족과의 경험, 또래와의 경험, 이전 학교에서의 경험 등을 복잡하게 쏟아놓고 되풀이하는 경우가 많다.

- 학생들은 과거 경험을 교사에게 투사하여, 교사 탓, 수업 탓을 하면서 교사를 테스트하고 또 교사로 인하여 자신이 힘들어졌다고 하면서 교사에게 위협과 강요를 요구하는 투사적 동일시를 무의식적으로 시도하게 되는 경우가 자주 있다.

- 교사들은 그런 학생들의 투사적 동일시로 말미암아 자신이 학생

의 노예인양 느끼거나 평소의 자신 모습과 다른 방식의 반응으로 인해 자유롭지 못한 감정을 느끼기도 하는데, 그런 일은 충분한 경험이 없으면 더 자주 일어난다.

- 학급이라는 무대, 혹은 학급이라는 극장에서는 교사-학생, 학생-학생 사이의 역동적인 드라마가 펼쳐지는데, 이 드라마의 원조, 이 드라마의 기획은 어쩌면 특정 학생 혹은 학생 집단들의 마음 안에서, 내적 세계 안에서 시작된다고 볼 수 있다.

- 따라서 학급 안에서, 교사들은 이 다양하고 역동적인 관계에서의 전이, 역전이, 즉 아이들이 전달하는 감정들, 교사 자신이 느끼는 감정들, 관계 속에서 주고받는 여러 감정들을 심도있게 분석해야 한다. 그리고 그 관계 안에서 어떤 것이 투사인지, 조종인지, 책임 전가인지, 그렇게 해서 발생하는 관계의 이익이 무엇인지를 충분히 분석하는 작업이 필요하다.

- 좋은 학급에서는 이런 학생들의 갈등 유발, 투사, 조종, 책임 전가를 과거와 다른 방식으로 즉 더 좋은 방법, 공감, 수용, 지지, 인정, 효과적인 한계 제시 등을 통해 학생들이 이전과는 다른 경험을 할 수 있도록 돕는다.
학생들이 문제의 원인을 자신의 내부에서, 관계의 상호 작용에서 찾는 힘들고 고통스런 과정을 교사가 잘 돕는 것은 쉽지 않지만 견뎌낼만한 일이다. 좋은 학급에서의 수용의 경험, 품어줌의 경험, 담아줌의 경험은 아이를 변화시키고, 또 학급 집단을 변화시키는 중요한 과정이 되기 때문이다.

그렇지 않다면, 상처받은 학생은 흔히 하듯이 탓하고, 비난하고, 피해자가 되었다는 감정에서 헤어 나오지 못하면서 삶의 주체성을 준비하는데 어려움을 겪게 된다. 그리고 새로운 방식의 대인관계를 할 수가 없게 된다.

• 한 학생에 대한 초기 반응은 각성된 교사들의 다른 반응으로 달라진다. 이들은 자신이 과거에 추었던 춤을 추려고 시도하지만 교사들은 이 춤에 참여하지 않으므로 학생은 자신의 춤을 반성할 수 있게 된다. 즉 학생이 바라던 대로 행동하지 않는 교사를 만나게 된 것, 조종하는대로 되지 않는 교사를 만나게 되는 것, 이것이 변화의 첫 번째 중요한 요인이다.

• 교사들은 학생이 자신에게 주는 감정을 면밀히 관찰하고 이것 자체가 매우 중요한 요인이라는 것을 인식할 필요가 있다. 학생들이 주는 불편하고 힘든 감정, 혹은 예전에 겪었던 트라우마의 감정들이 있다면 그것은 충분히 이야기되는 것이 좋다. 이런 감정들을 나누면서 교사들은 자신을 발견하게 되기도 하고, 힘든 아이들에 대한 원칙을 수립하게 되기도 한다. 만일 이런 과정이 개방적 교사 공동체에서 잘 다루어지면, 교사 공동체 모두가 도움을 받을 수도 있다. 교사의 역전이 즉 아이들에 대해 느껴지는, 과거가 재현되는 느낌의 관계는 교육적으로 관계의 좋은 교훈을 담고 있다.

이런 역전이가 교사 공동체에서 충분히 다루어지지 않으면 학교는 매우 기계적인 처리방식을 고집할 수 밖에 없고 매우 기능적인 교육으로 전락할 수 있다.

- 어떤 학생이 나에게 적합한가라는 질문만큼 나는 어떤 학생이 어려운가도 중요한 질문이다. 또 한 학생의 어떤 행동에 내가 환호하는가라는 질문만큼 한 학생의 어떤 행동들이 내가 다루기 어려운 부분인가하는 것이 중요하다. 이런 과제를 다루는 것이 초기에는 어렵지만 한 학생과 더 긴밀히 관계를 나누는데 필수적인 과정이 될 것이다.

- 한 학생은 한 교사에게는 다른 모습을, 또 다른 교사에게도 다른 모습을 보여줄 수 있다. 예를 들어 한 학생이 한 선생님을 좋은 교사로 취급하면 그 교사는 은근히 자신이 좋은 교사라고 학생의 투사를 동일시한다. 그 학생이 다른 선생님을 나쁜 교사로 취급하면 그 교사는 자신은 나쁜 교사라고 생각한다. 그 학생이 문제를 일으켰을 때, 교사들은 교사들끼리 갈등이 유발될 수 있다. 한 학생의 각기 다른 면을 놓고 교사들은 서로 싸울 수 있다. 자신이 아이의 모든 면을 본 것처럼 싸우지만, 교사들은 자신이 본 면을 가지고 판단하는 것일 수 있다. 분열이 성공하는 경우는 흔히 있다. 한 학생의 너무 다른 면을 각기 알고 있을 경우, 교사들은 자신들이 한 명의 학생을 놓고 이야기하는 것인가 하는 의문을 가져야하며, 학생을 통합적으로 보기 위해 노력해야 아이를 도울 수 있다.

- 투사적 동일시에는 늘 조종이라는 측면이 있다. 아이가 교사에게 어떤 감정을 투사하고, 그 교사가 학생이 투사한 감정에 따라 행동을 하는, 투사적 동일시의 경험은 아이가 무의식적으로 의도한 바이다. 투사적 동일시가 일어나지 않게 하기 위해서는 아이의 투사를 지각하고, 이해하고, 자신의 감정을 조정하여 아이의 조종대로 움직이지 않는 것이 정말 중요하다.

  자칫 학생의 투사적 동일시에 따라 행동하면, 학생의 연출대로 움직이면, 학급은 분열되고, 선생님과 아이들도 분열된다. 즉 학생이 생각했던 대로 학급이 분열되어 고통을 겪게 된다. 한 학생의 정신 안에서 시작된 분열이 학급 전체의 분열이 될 수도 있다.

- 분열은 악의적 행위이기보다 미성숙한 자신의 보호를 위한 무의식적 행위라고 한다. 하지만 이해가 부족한 교사들은 이를 자꾸 의도적이라고 생각해서, 오히려 투사적 동일시의 함정에 걸려들곤 한다. 즉 증오를 유도하는 행동에 증오로 답한다. 그래서 나쁜 교사가 된다.

  학생 스스로가 자신을 나쁜 학생으로 보게 만들고, 그래서 처벌을 일어나게 하는 방식으로 행동하는 것은 학생이 스스로를 스스로가 파괴하는 것이 아니라 타인으로 하여금 박해를 받는 것으로, 피해를 입는 것으로 만드는 과정이기도 하다. 그 과정은 학생이 스스로의 자기파괴 대신 교사에 의한 파괴라는 과정을 일어나게 하려고 하는 것이다. 이렇게 해서 학생이 얻는 것은 본인이 나쁜 사람이 아니라 교사가 나쁜 사람이었음을 아이들에게 알린다.

교사는 가해자가 되고, 그래서 아이들은 교사에게 좋은 느낌을 가질 수 없게 된다. 이러한 과정은 교실에서 드물지 않게 일어나는 과정임을 반드시 이해할 필요가 있다.

- 분열은 늘 일어난다. 그러므로 막을 수 있는 것이 아니라 대처하는 것이다. 가장 기본적인 대처는 교육이다. 분열이 일어나는 것을 알아차릴 수 있는 교육이 선행되어야 한다. 이에 대해 서로 늘 개방적으로 토론해야 한다.

- 교사들 사이의 학생에 대한 평가가 불일치하면 이에 대해 끈질기게 토론해서 자신의 감정을 드러내놓고 이야기하는 것만이 모두를 성장시키는 비결이다. 그렇게 해야만 분열을 통합시켜줄 수 있는 교사회가 될 수 있다. 특정한 학생에 대해 자기 자신만이 옳다는 생각은 가장 해악이 되는 독약이다.

- 분열의 신호는 무엇인가?
  1) 한 교사가 평소와 달리 학생을 과도하게 처벌하거나 감싸려 할 때, 2) 다른 교사의 요청이나 평가에 반감이 생길 때, 3) 나만이 그 학생을 이해할 수 있다고 느낄 때 거기에는 분열이 일어나고 있는 것이다. 이것을 교사들은 알아야 한다.

- 학생들의 내면 세계에서 사랑과 증오가 통합된다고 하는 것은 미워할 수 있는 면과 사랑스러운 면은 한 사람 안에 공존할 수밖에

없는 면을 알리는 것이다. 어떤 학생을 좋아만 할 수도 없고, 어떤 학생을 미워하기한 해서는 안된다는 것이 현실이듯이, 학생들이 주는 사랑뿐 아니라 증오도 교사는 견뎌야 한다. 그래서 학생이 준 증오를 교사의 내면적 처리작업을 통해서 사랑 혹은 적어도 복수나 증오로 되돌려 주지 않게 되면, 아이들은 통합이나 성장의 기회를 얻을 수 있게 된다. 만일 학생이 준 증오를 사랑으로 변형시켜서 줄 수 있다면 학생들은 증오도 더 잘 다룰 수 있게 된다. 즉 미움받았다고 나쁜 짓을 바로 하지 않게 된다. 학생의 증오를 한입 먹었다가 이를 다시 사랑으로 변형시켜서 돌려줄 때만이 학생들은 증오를 건강하게 다룰 수 있게 된다. 그런 좋은 경험의 축적이 훨씬 많이 일어나고, 나쁜 경험이 줄어들 때 그 학급과 교사는 학생들을 더 많이 좋은 방향으로 변화시킬 수 있는 힘을 갖게 된다.

참고 문헌

💜 김현수

[국내 단행본]

· 글렌 가바드(2016), 역동정신의학 5판, 하나의학사.

· 김현수(2019), 요즘 아이들의 마음고생의 비밀, 해냄.

· 나이토 아사오(2013), 이지메의 구조, 한얼미디어.

· 도넬슨 포사이(2019), 집단역학, CENGAGE learning.

· 로버트 치알디니, 더글러스 켄릭, 스티븐 뉴버그(2020), 사회심리학, 웅진지식하우스.

· 루돌프 드라이커스(2013), 아들러와 함께하는 행복한 교실 만들기, 학지사.

· 마이클 본드(2015), 타인의 영향력, 어크로스.

· 마이클 톰슨 외(2012), 어른들은 잘 모르는 아이들의 숨겨진 삶, 양철북.

· 모스코비치(2010), 다수를 바꾸는 소수의 심리학, 뿌리와 이파리.

· 캐스 선스타인 외(2015), 와이저, 위즈덤하우스.

[국내 논문]

· 김애리 등(2014) 사회적 배척과 소속 욕구가 사회적 사건의 정서 예측에 미치는 영향, 감성과학, Vol.17, No.3, pp.83-94.

[외국 문헌]

· Brown, B., Mory, M., & Kinney, D, Sage, Newbury Park(1994) "Casting crowds in a relational perspective : Caricature, channel, and context." In R. Montemayor, G. Adams, & T. Gullotta (eds.), Advances in Adolescent Development : Vol. 5. Personal Relationships During Adolescence.

· D. Jorgenson & F. Dukes(1976), Deindividuation as a function of density and group members, Journal of Personality and Social Psychology, 34, 24-29.

· Epstein, J. L.(1989), Family structures and student motivation : A developmental perspective. In C. Ames and R. Ames (Eds.), Research on motivation in education (pp. 259-295). San Diego, Academic Press.

293

· Janis, Irving L.(1982), Groupthink : psychological studies of policy decisions and fiascoes, Houghton Mifflin.

· Phil Erwin(1998), Friendship in childhood and Adolescence, Routledge.

· Salkind, Neil(2008), "Cliques", Encyclopedia of educational psychology, Sage Publications.

· Roy, D.(1959) "Banana Time : Job Satisfaction and Informal Interaction.", Human Organization, 18:158-168.

· Steinberg Lawrence(2010), Adolescence, (9ed), McGraw-Hil.

· Williams, K & Sommer, K(1997) Social ostracism by one's coworkers : Does rejection lead to loafing or compensation?, Personality & Social Psychology Bulletin, 23 (7) : 693-706.

[인터넷 사이트]

· "Peer Social Status and Emotion Regulation", https://www.doctorabel.us/child-psychology/peer-social-status-and-emotion-regulation.html.

· "Parkinson's Law", https://www.economist.com/news/1955/11/19/parkinsons-law.

💜 구소희

[국내 단행본]

· 김경식(2000), 학급의 사회심리학, 원미사.

· 김성천 외(2019), 학교, 민주시민교육을 만나다!, 맘에드림.

· 넬 라딩스, 로리 브룩스(2018), 논쟁수업으로 시작하는 민주시민교육, 풀빛.

· 대니얼 코일(2018), 최고의 팀은 무엇이 다른가?, 웅진지식하우스.

· 데이비드 월시(2011), 10대들의 사생활, 시공사.

· 로버트 치알디니, 더글러스 켄릭, 스티븐 뉴버그(2020), 사회심리학, 웅진 지식하우스.

· 루이스 코졸리노(2017), 관계중심 학급경영의 첫걸음 애착교실, 해냄.

· 루돌프 드라이커스 외(2013), 아들러와 함께하는 행복한 교실 만들기, 학지사.

· 마이클 본드(2015), 타인의 영향력, 어크로스.

· 에릭 젠슨(2012), 수업혁명1, 한국뇌기반교육연구소.

· 이대성 외(2020), 민주학교란 무엇인가?, 교육과 실천.

· 임정훈(2018), 학교의 품격, 우리교육.

· 서울교육 공간디자인 혁신 사업 백서(2019), 학교, 고운 꿈을 담다, 서울시 교육청 서울시청.

· 심성보, 이동기, 장은주, 케르스틴 폴(2018), 보이텔스바흐 합의와 민주시민교육, 북멘토.

· 제인 넬슨(2014), 학급 긍정훈육법, 에듀니티.

· 캐스 선스타인(2015), 와이저, 위즈덤하우스.

· 테레사 라살라, 도디 맥비티, 수잔 스미사 저(2015), 학급긍정훈육법: 활동편, 에듀니티.

· 홍경숙, 편해문, 배성호, 이승곤, 김태은, 이영범(2019), 학교공간, 어떻게 바꿀 수 있을까?, 창비교육.

[국내 논문]

· 강정희(2010), 초등학교 학생의 사회성 발달을 위한 문화 공간 연구,
한국교원대학교교육정책전문대학원 석사학위논문.

· 박종향, 신나민(2015), 중고등학생의 호불호 학교공간 인식에 관한 연구, 한국교육시설학회논문집
제 22권 제1호 통권 104호.

· 반자연(2018), 따뜻한 교실 디자인하기 초등학교 5,6학년, 한국실내디자인학회 학술발표대회 논문집
제 20권(1호).

[인터넷 사이트]

· http://학교공간혁신.kr/

· 교육부(2019), 학교 공간 혁신 사례 2, 서울 창덕여자중학교. https://happyedu.moe.go.kr/happy/
bbs/selectHappyArticleImg.do?bbsId=BBSMSTR_000000000191&nttId=8950.
행복한교육 2019년 2월호 2022.1.25. 인출

· 전남교육청(2021), 학교 공간 혁신 백서. https://blog.naver.com/jnehongbo/222219013939,
전남교육청 블로그 2022.1.25.인출

💜 조교금

[국내 단행본]

· 김현수(2019), 요즘 아이들 마음고생의 비밀, 해냄.

· 개빈 브렘너, 알란 슬레이터(2013), 발달심리학, 시그마프레스.

· 데이비드 쉐퍼(2014), 발달심리학, 박영스토리.

· 도넬슨 포사이(2019), 집단역학 7판, CENGAGE learing.

· 레이첼 시먼스(2018), 소녀들의 심리학, 양철북.

· 리차드 쉬먹 & 패트리샤 쉬먹(2000), 학급의 사회 심리학, 원미사.

· 마이클 거리언(2013), 소년의 심리학, 위고.

· 마이클 톰슨, 캐서린 오닐 그레이스, 로렌스 J. 코헨(2012), 어른들은 잘 모르는 아이들의 숨겨진 삶, 양철북.

· 여왕벌인 소녀, 여왕벌이 되고 싶은 소녀(2015), 로잘린드 와이즈만, 시그마 북스.

· 인천광역시교육청(2020), 학교민주시민교육 교사아카데미, 민주주의자들의 교실, 철학편, 실천편, 마북.

· 정진(2016), 회복적 생활교육 학급운영 가이드북, 피스빌딩.

[외국 문헌]

· Yough Light. Kaye Randall(2008), Relational Aggression (Adapted from Mean Girls Workshop)

[참고 영화]

· 마크 워터스 감독(2004), 퀸카로 살아남는 법.

· 윤가은 감독(2016), 우리들, 아토.

[참고 동화]

· 트루디 루드위그(글), 패트리스 바톤(그림)(2013), 보이지 않는 아이, 책과콩나무.

💙 최미파

[국내 단행본]

· 김경식(2000), 학급의 사회심리학, 원미사.

· 김현수(2019), 교실심리, 애듀니티.

· 도넬슨 포사이(2019), 집단역학, CENGAGE learning.

· 로버트 치알디니, 더글러스 켄릭, 스티븐 뉴버그(2020), 사회심리학, 웅진지식하우스.

[국내 논문]

· 김겸미 외(2015), 학생자치법정에서 학급집단응집성이 또래압력에 미치는 영향, 법교육연구, pp. 6-7.

♥ 하상범

[국내 단행본]

· 경기도 토론교육연구회(2019), 토론이 수업이 되려면, 교육과 실천.

· 김경식(2000), 학급의 사회심리학, 원미사.

· 김현수(2019), 요즘 아이들의 마음고생의 비밀, 해냄.

· 나이토 아사오(2013), 이지메의 구조, 한얼미디어.

· 도넬슨 포사이(2019), 집단역학, CENGAGE Learning.

· 레이철 시먼스(2018), 소녀들의 심리학, 양철북.

· 로버트 치알디니, 더글러스 켄릭, 스티븐 뉴버그(2020), 사회심리학, 웅진지식하우스.

· 루돌프 드라이커스(2018), 아들러와 함께하는 행복한 교실 만들기, 학지사.

· 마이클 본드(2015), 타인의 영향력, 어크로스.

· 마이클 톰슨 외 지음(2012), 어른들은 잘 모르는 아이들의 숨겨진 삶, 양철북.

· 정문성(2017), 토의·토론 수업방법 84, 교육과학사.

· 캐스 선스타인(2015), 와이저, 위즈덤하우스.

학급 사회심리학

집단 상호작용의 법칙,
그 비밀을 알면
아 - 하고
이해하게 됩니다.

귀 쫑긋하고
들으세요!

존중하는 학급 문화
만들기 도전!!

학교 폭력 예방, 존중하는 학급 문화, 소외되는 학생이 없는 교사와 학생 모두 행복한

학급 사회심리학의 지혜와 교사들의 실천! 그 비밀 공개!

Secret 1 김현수 교수님이 설명해 주시는 학급 집단 심리 이론과 다양한 예시

감동 강의! 학급 사회심리학으로의 초대

학급 집단 심리를 이해하기 쉽게 정리한 다양한 예시

모두가 행복해 질 수 있는 지혜 나눔

Secret 2 관계의 심리학 교사들이 현장에서 경험한 풍부한 사례와 Tip 나눔

초등 학급 4계절 이야기와 담임의 역할

중고등 학급의 4계절 이야기와 담임의 역할

초중고 관심단 선생님들의 열띤 토론과 해법

선생님들의 연수 후기

★ **학급을 사회심리학으로 이해하니 정말 좋았습니다! 모든 선생님을 위한 연수! 강추!** | atgit***

학급경영에서 학급을 사회심리학으로 이해하기 위해 모든 선생님께서 반드시 이 연수를 들으셨으면 합니다. 학급 경영이 잘되는 해도 있고 그렇지 못한 해도 있는데, 잘 안된 해에는 담임으로서 나의 역량 부족은 아닌지 수많은 자기 비하에 시달리며, 교사로서 어른으로서의 나의 마음을 돌보며 문제를 찾기 위해 교실에서의 애착 또는 개인 심리를 살피는 연수를 듣곤 했습니다.

그런데, 학급이 사회이며 이것을 개인의 심리로 접근하는 것이 아니라 사회로 접근해서 학급을 이해하는 학급사회학 연수는 교사 개인인 나의 잘못이 아니라고 말해주고, 우리 학급을 그리고 개인으로서의 아이들이 아닌 학급 내에서의 아이들로 살펴볼 수 있었습니다.

학생 개개인으로 보면 너무 예쁜데, 왜 친구들하고 있으면 이해할 수 없는 행동을 하는지 의문이 들었던 학생들을 사회 심리학으로 접근해서 설명해주시는 순간 무릎을 탁! 쳤습니다. 안 들어보신 선생님께 강력 추천합니다!

★ **다수결이 가장 민주적인 것이라고 생각했던 나** | aprils***

지난날 무심히 다수결로 의사 결정을 했던 과오를 깨닫게 되었고, 학급 안에서 학생들 사이의 관계의 역동에 대해 더 깊이 생각해 볼 수 있는 계기가 되었습니다. 참 귀한 연수였습니다

★ **반 아이들을 떠올리게 하는 연수** | mjak***

연수를 들으며 우리 반 아이들 얼굴이 떠오르네요. 교사를 힘들게만 한다고 생각했는데 연수를 들으며 그 아이 나름의 힘듦이 있겠구나 이해하게 되었습니다. 학급 운영에 많은 도움이 되네요. 감사합니다.

★ **학급을 집단으로 바라보는 계기** | adella***

그동안 학급 내 아이들과 개별적인 만남과 친교를 중요시하였습니다. 학급 단합 대회를 학기별로 하기는 하였지만, 학급을 집단으로 바라보는 인식은 부족했던 것 같습니다. 그리고 코로나 사태 이후는 더욱 개별적인 관계에 중점을 두었었는데 이 연수를 계기로 집단 그리고 집단 내 그룹에 대한 새로운 시각을 가지게 되었습니다. 그리고 학생들이 구체적인 활동을 집단으로 화목하게 하는 경험이 가지는 것이 얼마나 소중한 것이니 느꼈습니다. 그래서 연수를 듣는 중에 학급 구성원을 4개의 부족으로 나누고 작은 미션을 부여하는 활동을 하기 시작했습니다. 소중한 깨달음을 얻고 작은 실천을 시작한 계기가 된 연수였습니다.

모듈 1
학급과 담임,
학급을
만나다!

모듈 5
학급에서의
특별한
주제들

모듈 2
학급의 구조,
학급을
바라보다!

모듈 4
학급의 의사소통,
학급에
귀 기울이다!

모듈 3
학급 조직,
학급에
스며들다!

**학급 사회심리학
연수 구성**

비바샘 원격교육연수원

"비바샘 연수원에서 원격 직무 연수로 만나보세요."
https://t.vivasam.com/

요즘 아이들
학급 집단 심리의 비밀

교사가 알아야 할 51가지 학급 운영의 지혜

초판 1쇄 발행 2022년 2월 17일
초판 2쇄 발행 2022년 6월 16일
개정판 1쇄 발행 2023년 5월 20일

지은이 김현수, 구소희, 조교금, 최미파, 하상범
펴낸이 양태회
기획 최슬기
편집 김현태
제작 테라북스

펴낸곳 (주)비상교육
주소 서울시 구로구 디지털로33길 48 대륭포스트타워 7차 20층
전화번호 02-6970-6337
팩스 02-6970-6179
홈페이지 https://t.vivasam.com/
전자우편 tvivasam@visang.com

ISBN 979-11-6940-443-3 13370
값 16,800원